A) Solve for the variable.

1) $y - 7 = -3$ _____   2) $5 + y = 7$ _____   3) $y - 3 = 2$ _____   4) $2 - y = -5$ _____

5) $y - 6 = -3$ _____   6) $y - 9 = 0$ _____   7) $1 - y = 0$ _____   8) $1 + y = 4$ _____

9) $y - 6 = -4$ _____   10) $7 + y = 15$ _____   11) $8 + y = 15$ _____   12) $3 + y = 8$ _____

13) $3 + y = 10$ _____   14) $y - 5 = -4$ _____   15) $7 - y = 2$ _____   16) $y + 3 = 8$ _____

17) $1 + y = 8$ _____   18) $y + 3 = 10$ _____   19) $y + 5 = 10$ _____   20) $9 - y = 2$ _____

21) $y + 4 = 8$ _____   22) $y + 7 = 12$ _____   23) $y - 2 = 1$ _____   24) $8 + y = 14$ _____

25) $9 + y = 15$ _____   26) $3 + y = 4$ _____   27) $y - 6 = -5$ _____   28) $5 - y = 4$ _____

29) $1 + y = 9$ _____   30) $y - 7 = -6$ _____   31) $y - 3 = 6$ _____   32) $y - 4 = -3$ _____

33) $y - 9 = -3$ _____   34) $2 - y = -1$ _____   35) $9 + y = 10$ _____   36) $y + 8 = 12$ _____

37) $y - 5 = 4$ _____   38) $7 + y = 8$ _____   39) $5 - y = -3$ _____   40) $9 + y = 18$ _____

41) $7 + y = 11$ _____   42) $y - 8 = -4$ _____   43) $y + 3 = 6$ _____   44) $7 - y = 1$ _____

45) $3 - y = -5$ _____   46) $y + 1 = 9$ _____   47) $y + 4 = 6$ _____   48) $y + 1 = 2$ _____

49) $2 - y = -7$ _____   50) $1 - y = -2$ _____

B) Solve for the variable.

1) $y - 8 = 0$ _____
2) $y + 9 = 11$ _____
3) $5 - y = -3$ _____
4) $3 + y = 8$ _____

5) $y + 2 = 7$ _____
6) $y - 6 = -4$ _____
7) $y + 9 = 15$ _____
8) $y + 3 = 4$ _____

9) $7 + y = 9$ _____
10) $y + 7 = 11$ _____
11) $2 - y = -2$ _____
12) $1 - y = -6$ _____

13) $6 + y = 8$ _____
14) $y + 5 = 12$ _____
15) $y + 7 = 13$ _____
16) $y - 2 = 3$ _____

17) $4 + y = 10$ _____
18) $7 - y = 5$ _____
19) $y - 2 = 2$ _____
20) $9 - y = 1$ _____

21) $y - 7 = -4$ _____
22) $8 + y = 14$ _____
23) $4 - y = -2$ _____
24) $y - 7 = 0$ _____

25) $y + 4 = 7$ _____
26) $6 - y = 3$ _____
27) $y + 3 = 8$ _____
28) $y - 4 = 3$ _____

29) $7 + y = 11$ _____
30) $4 + y = 8$ _____
31) $8 - y = 1$ _____
32) $3 + y = 12$ _____

33) $y + 6 = 8$ _____
34) $y - 5 = -1$ _____
35) $6 + y = 10$ _____
36) $4 + y = 5$ _____

37) $y + 3 = 6$ _____
38) $y - 3 = -2$ _____
39) $6 - y = 4$ _____
40) $9 + y = 12$ _____

41) $y + 5 = 13$ _____
42) $y - 2 = 7$ _____
43) $1 + y = 5$ _____
44) $y - 8 = -5$ _____

45) $5 + y = 6$ _____
46) $y - 9 = -8$ _____
47) $y - 3 = 5$ _____
48) $9 - y = 6$ _____

49) $9 - y = 8$ _____
50) $5 - y = -1$ _____

C) Solve for the variable.

1) $9 - y = 1$ _____

2) $4 + y = 8$ _____

3) $6 + y = 13$ _____

4) $y - 5 = -1$ _____

5) $y + 8 = 16$ _____

6) $1 + y = 10$ _____

7) $y + 7 = 10$ _____

8) $8 + y = 13$ _____

9) $5 - y = -4$ _____

10) $9 - y = 8$ _____

11) $y + 7 = 12$ _____

12) $7 + y = 15$ _____

13) $y - 7 = -6$ _____

14) $4 + y = 13$ _____

15) $y - 4 = 5$ _____

16) $3 - y = 0$ _____

17) $8 - y = 3$ _____

18) $y + 1 = 3$ _____

19) $y + 6 = 9$ _____

20) $7 + y = 16$ _____

21) $y + 9 = 17$ _____

22) $y + 6 = 10$ _____

23) $y + 6 = 8$ _____

24) $y + 2 = 7$ _____

25) $y - 3 = 1$ _____

26) $y - 6 = -4$ _____

27) $4 + y = 12$ _____

28) $y + 5 = 11$ _____

29) $y - 7 = -2$ _____

30) $y + 7 = 9$ _____

31) $6 - y = -2$ _____

32) $3 + y = 12$ _____

33) $y + 2 = 5$ _____

34) $y - 5 = 1$ _____

35) $7 + y = 11$ _____

36) $y + 3 = 8$ _____

37) $y - 6 = 2$ _____

38) $y - 8 = -7$ _____

39) $y - 9 = -6$ _____

40) $y + 4 = 9$ _____

41) $1 + y = 5$ _____

42) $y - 6 = -2$ _____

43) $4 + y = 9$ _____

44) $y - 4 = -3$ _____

45) $y + 8 = 9$ _____

46) $9 - y = 0$ _____

47) $y + 4 = 12$ _____

48) $y - 5 = 0$ _____

49) $y - 5 = 4$ _____

50) $7 - y = 0$ _____

D) Solve for the variable.

1) $y + 2 = 5$ _____ 2) $6 + y = 7$ _____ 3) $y - 1 = 0$ _____ 4) $y + 6 = 12$ _____

5) $y - 4 = -2$ _____ 6) $8 - y = 1$ _____ 7) $7 + y = 11$ _____ 8) $y - 3 = 3$ _____

9) $y - 5 = 0$ _____ 10) $y + 1 = 4$ _____ 11) $3 - y = 2$ _____ 12) $y - 4 = 1$ _____

13) $3 - y = -6$ _____ 14) $y + 1 = 5$ _____ 15) $y - 8 = -2$ _____ 16) $y - 4 = -1$ _____

17) $y - 1 = 5$ _____ 18) $y - 3 = 4$ _____ 19) $y - 7 = 2$ _____ 20) $y + 8 = 12$ _____

21) $y + 5 = 9$ _____ 22) $1 - y = -1$ _____ 23) $y + 9 = 13$ _____ 24) $6 - y = 2$ _____

25) $4 - y = 0$ _____ 26) $y + 3 = 6$ _____ 27) $y + 3 = 10$ _____ 28) $y + 1 = 8$ _____

29) $1 + y = 4$ _____ 30) $2 - y = -3$ _____ 31) $y - 7 = -6$ _____ 32) $2 + y = 7$ _____

33) $4 - y = -3$ _____ 34) $y - 9 = -3$ _____ 35) $4 - y = 2$ _____ 36) $y - 6 = 1$ _____

37) $y + 8 = 11$ _____ 38) $y - 3 = 6$ _____ 39) $8 - y = 4$ _____ 40) $6 - y = -1$ _____

41) $2 - y = 1$ _____ 42) $y + 6 = 10$ _____ 43) $2 + y = 8$ _____ 44) $4 - y = 3$ _____

45) $y + 8 = 14$ _____ 46) $y + 9 = 12$ _____ 47) $9 - y = 4$ _____ 48) $7 + y = 14$ _____

49) $y - 6 = 3$ _____ 50) $4 + y = 7$ _____

E) Solve for the variable.

1) $5 + y = 13$ _____

2) $9 - y = 4$ _____

3) $y + 9 = 15$ _____

4) $y - 1 = 1$ _____

5) $3 - y = -2$ _____

6) $6 + y = 7$ _____

7) $5 + y = 9$ _____

8) $y + 7 = 13$ _____

9) $6 + y = 14$ _____

10) $9 + y = 16$ _____

11) $y - 7 = 1$ _____

12) $8 - y = 5$ _____

13) $6 - y = -1$ _____

14) $y - 5 = 2$ _____

15) $1 + y = 10$ _____

16) $4 + y = 5$ _____

17) $y - 8 = -3$ _____

18) $3 + y = 12$ _____

19) $6 - y = 2$ _____

20) $y + 2 = 7$ _____

21) $5 - y = 3$ _____

22) $4 + y = 9$ _____

23) $1 + y = 6$ _____

24) $4 - y = 1$ _____

25) $y + 3 = 4$ _____

26) $y - 3 = 3$ _____

27) $3 - y = -1$ _____

28) $4 + y = 12$ _____

29) $4 + y = 11$ _____

30) $y - 4 = 1$ _____

31) $y + 7 = 9$ _____

32) $7 + y = 13$ _____

33) $y - 5 = -3$ _____

34) $3 - y = -3$ _____

35) $2 - y = -5$ _____

36) $4 - y = -5$ _____

37) $4 + y = 6$ _____

38) $4 - y = -2$ _____

39) $3 + y = 6$ _____

40) $y + 1 = 4$ _____

41) $y + 3 = 9$ _____

42) $y - 7 = -6$ _____

43) $y + 8 = 16$ _____

44) $y + 9 = 11$ _____

45) $y - 8 = 0$ _____

46) $2 + y = 3$ _____

47) $y - 8 = -7$ _____

48) $y + 4 = 12$ _____

49) $y + 2 = 3$ _____

50) $2 + y = 7$ _____

F) Solve for the variable.

1) $y + 4 = 8$ _____   2) $2 - y = -7$ _____   3) $7 - y = 2$ _____   4) $y - 2 = 3$ _____

5) $y + 3 = 9$ _____   6) $9 + y = 17$ _____   7) $y - 9 = -5$ _____   8) $3 - y = -5$ _____

9) $y - 2 = 7$ _____   10) $6 + y = 7$ _____   11) $y - 6 = 1$ _____   12) $y - 5 = -4$ _____

13) $4 + y = 6$ _____   14) $y + 2 = 7$ _____   15) $7 + y = 13$ _____   16) $4 + y = 9$ _____

17) $y - 9 = -8$ _____   18) $5 + y = 11$ _____   19) $y - 1 = 6$ _____   20) $8 - y = 1$ _____

21) $6 + y = 12$ _____   22) $8 + y = 9$ _____   23) $8 + y = 13$ _____   24) $2 + y = 5$ _____

25) $6 + y = 15$ _____   26) $5 - y = 2$ _____   27) $7 + y = 12$ _____   28) $8 + y = 11$ _____

29) $2 + y = 6$ _____   30) $y - 3 = 3$ _____   31) $y - 8 = -3$ _____   32) $4 + y = 7$ _____

33) $4 + y = 12$ _____   34) $4 + y = 5$ _____   35) $6 + y = 14$ _____   36) $y - 3 = 6$ _____

37) $5 - y = -2$ _____   38) $y + 4 = 7$ _____   39) $9 - y = 2$ _____   40) $3 - y = -6$ _____

41) $8 - y = 3$ _____   42) $y + 2 = 3$ _____   43) $y - 6 = -5$ _____   44) $y - 9 = -4$ _____

45) $y + 4 = 13$ _____   46) $5 + y = 12$ _____   47) $y + 6 = 14$ _____   48) $y + 8 = 15$ _____

49) $y + 4 = 5$ _____   50) $y + 1 = 6$ _____

G) Solve for the variable.

1) $2 + y = 7$ _____   2) $6 + y = 7$ _____   3) $3 + y = 9$ _____   4) $y - 3 = -2$ _____

5) $y - 8 = -2$ _____   6) $y + 1 = 5$ _____   7) $y - 4 = 4$ _____   8) $y - 1 = 8$ _____

9) $y - 6 = 1$ _____   10) $y - 1 = 6$ _____   11) $y + 4 = 6$ _____   12) $3 + y = 5$ _____

13) $6 + y = 14$ _____   14) $7 - y = 2$ _____   15) $5 - y = 1$ _____   16) $8 + y = 14$ _____

17) $y - 1 = 3$ _____   18) $y - 8 = -5$ _____   19) $y + 5 = 11$ _____   20) $y + 3 = 12$ _____

21) $y + 2 = 7$ _____   22) $y + 4 = 11$ _____   23) $6 + y = 15$ _____   24) $y - 9 = -7$ _____

25) $6 - y = 5$ _____   26) $5 + y = 13$ _____   27) $3 - y = -2$ _____   28) $y + 5 = 10$ _____

29) $y - 6 = 3$ _____   30) $8 - y = 6$ _____   31) $y - 8 = -7$ _____   32) $7 - y = -1$ _____

33) $7 - y = -2$ _____   34) $8 - y = -1$ _____   35) $y + 9 = 10$ _____   36) $5 - y = 2$ _____

37) $3 + y = 11$ _____   38) $y + 5 = 8$ _____   39) $y + 8 = 15$ _____   40) $y + 5 = 6$ _____

41) $y - 2 = 2$ _____   42) $y - 7 = -1$ _____   43) $y - 3 = 0$ _____   44) $y + 7 = 8$ _____

45) $y + 3 = 5$ _____   46) $y - 3 = 4$ _____   47) $8 + y = 10$ _____   48) $y - 2 = 7$ _____

49) $3 - y = 1$ _____   50) $y - 2 = 3$ _____

H) Solve for the variable.

1) y - 8 = -6 _____   2) 5 - y = -3 _____   3) 9 + y = 13 _____   4) 1 + y = 7 _____

5) y + 3 = 10 _____   6) y + 7 = 9 _____   7) y - 3 = 6 _____   8) y + 4 = 9 _____

9) 6 + y = 15 _____   10) y - 6 = -2 _____   11) y - 9 = -6 _____   12) 9 + y = 16 _____

13) y - 6 = 3 _____   14) 3 + y = 5 _____   15) y + 3 = 7 _____   16) 1 - y = 0 _____

17) 9 - y = 1 _____   18) 3 - y = 2 _____   19) 5 - y = 2 _____   20) 5 + y = 12 _____

21) 5 - y = -4 _____   22) y + 1 = 3 _____   23) 3 - y = 0 _____   24) y + 7 = 8 _____

25) 6 - y = 5 _____   26) 2 + y = 4 _____   27) y + 8 = 17 _____   28) 8 + y = 11 _____

29) y - 9 = -7 _____   30) y - 4 = -1 _____   31) 7 - y = 6 _____   32) 9 - y = 4 _____

33) y + 6 = 11 _____   34) y - 3 = -1 _____   35) y + 9 = 14 _____   36) 9 + y = 11 _____

37) 2 + y = 5 _____   38) 1 - y = -6 _____   39) y + 2 = 7 _____   40) y - 6 = 0 _____

41) 7 + y = 15 _____   42) y - 1 = 3 _____   43) 4 - y = 0 _____   44) 6 + y = 13 _____

45) 4 + y = 12 _____   46) 3 + y = 12 _____   47) 8 + y = 16 _____   48) y + 8 = 11 _____

49) 2 + y = 7 _____   50) 9 + y = 10 _____

I) Solve for the variable.

1) $2 + y = 10$ _____

2) $3 + y = 11$ _____

3) $y - 5 = 1$ _____

4) $y - 4 = 2$ _____

5) $y - 6 = -1$ _____

6) $9 + y = 12$ _____

7) $y + 5 = 9$ _____

8) $3 + y = 8$ _____

9) $7 + y = 15$ _____

10) $8 - y = 5$ _____

11) $y + 9 = 10$ _____

12) $3 - y = -2$ _____

13) $y + 4 = 6$ _____

14) $2 - y = -3$ _____

15) $2 + y = 8$ _____

16) $1 + y = 7$ _____

17) $8 + y = 16$ _____

18) $y - 3 = 1$ _____

19) $y - 5 = 3$ _____

20) $7 - y = 6$ _____

21) $y + 5 = 6$ _____

22) $y + 7 = 10$ _____

23) $y + 3 = 10$ _____

24) $y + 7 = 14$ _____

25) $4 - y = -1$ _____

26) $6 - y = 3$ _____

27) $6 - y = -2$ _____

28) $6 - y = 4$ _____

29) $y - 4 = 3$ _____

30) $y + 1 = 3$ _____

31) $4 + y = 7$ _____

32) $7 + y = 11$ _____

33) $y + 4 = 5$ _____

34) $y - 3 = 6$ _____

35) $y + 1 = 7$ _____

36) $y - 8 = 0$ _____

37) $y - 8 = -3$ _____

38) $5 + y = 14$ _____

39) $y + 5 = 12$ _____

40) $3 - y = -3$ _____

41) $9 + y = 14$ _____

42) $3 + y = 9$ _____

43) $y - 7 = -1$ _____

44) $8 - y = 7$ _____

45) $1 - y = -6$ _____

46) $y - 3 = -2$ _____

47) $7 + y = 8$ _____

48) $y + 6 = 14$ _____

49) $5 - y = -2$ _____

50) $3 - y = -4$ _____

J) Solve for the variable.

1) $y + 9 = 15$ _____   2) $8 + y = 14$ _____   3) $y - 5 = -2$ _____   4) $y - 6 = -3$ _____

5) $y - 8 = -6$ _____   6) $8 - y = 1$ _____   7) $y - 4 = 5$ _____   8) $5 - y = -2$ _____

9) $8 + y = 9$ _____   10) $y + 3 = 6$ _____   11) $8 - y = 6$ _____   12) $9 + y = 11$ _____

13) $y + 7 = 15$ _____   14) $y - 7 = 0$ _____   15) $2 + y = 5$ _____   16) $y + 2 = 4$ _____

17) $y - 8 = -3$ _____   18) $y - 7 = -1$ _____   19) $y + 3 = 7$ _____   20) $y + 5 = 13$ _____

21) $1 - y = -5$ _____   22) $3 + y = 7$ _____   23) $y - 7 = -5$ _____   24) $1 + y = 4$ _____

25) $y + 9 = 14$ _____   26) $y - 4 = -2$ _____   27) $9 - y = 2$ _____   28) $7 + y = 12$ _____

29) $7 - y = 2$ _____   30) $y + 9 = 13$ _____   31) $7 + y = 13$ _____   32) $y - 2 = 0$ _____

33) $8 - y = 0$ _____   34) $y + 5 = 8$ _____   35) $3 - y = -5$ _____   36) $y - 3 = -2$ _____

37) $y + 4 = 8$ _____   38) $y + 5 = 11$ _____   39) $y - 6 = 1$ _____   40) $6 - y = 4$ _____

41) $y - 3 = 2$ _____   42) $y - 1 = 1$ _____   43) $4 - y = 2$ _____   44) $6 + y = 10$ _____

45) $y - 6 = -2$ _____   46) $8 - y = -1$ _____   47) $y - 4 = -3$ _____   48) $9 - y = 0$ _____

49) $y + 8 = 16$ _____   50) $y + 5 = 14$ _____

K) Solve for the variable.

1) $y - 3 = 6$ _____

2) $y - 4 = 4$ _____

3) $5 - y = -1$ _____

4) $7 - y = 5$ _____

5) $5 + y = 8$ _____

6) $6 + y = 9$ _____

7) $9 - y = 4$ _____

8) $2 + y = 7$ _____

9) $7 + y = 12$ _____

10) $9 - y = 8$ _____

11) $y - 5 = 0$ _____

12) $y + 8 = 14$ _____

13) $8 + y = 11$ _____

14) $2 - y = -2$ _____

15) $y - 6 = 0$ _____

16) $4 - y = -4$ _____

17) $y - 8 = -5$ _____

18) $8 - y = 7$ _____

19) $5 + y = 11$ _____

20) $9 + y = 12$ _____

21) $2 - y = 1$ _____

22) $8 - y = 6$ _____

23) $7 + y = 14$ _____

24) $1 + y = 10$ _____

25) $y - 3 = 5$ _____

26) $y + 6 = 13$ _____

27) $y + 4 = 11$ _____

28) $1 + y = 3$ _____

29) $7 + y = 16$ _____

30) $y + 2 = 11$ _____

31) $4 + y = 12$ _____

32) $3 - y = -4$ _____

33) $3 - y = 2$ _____

34) $y + 4 = 7$ _____

35) $y + 1 = 10$ _____

36) $9 - y = 3$ _____

37) $y + 1 = 3$ _____

38) $y - 5 = 1$ _____

39) $y - 6 = 2$ _____

40) $y + 3 = 10$ _____

41) $5 - y = -3$ _____

42) $7 - y = 6$ _____

43) $8 - y = 0$ _____

44) $y - 6 = 1$ _____

45) $3 + y = 8$ _____

46) $y + 4 = 13$ _____

47) $8 + y = 9$ _____

48) $y - 6 = -3$ _____

49) $y + 9 = 14$ _____

50) $7 - y = 3$ _____

L) Solve for the variable.

1) $y - 8 = -6$ _____

2) $y - 8 = -3$ _____

3) $y - 1 = 4$ _____

4) $y + 8 = 16$ _____

5) $6 + y = 7$ _____

6) $7 + y = 13$ _____

7) $y + 8 = 17$ _____

8) $4 + y = 11$ _____

9) $1 - y = -6$ _____

10) $y - 6 = -3$ _____

11) $y - 7 = 2$ _____

12) $5 + y = 14$ _____

13) $y - 2 = 2$ _____

14) $y - 5 = 2$ _____

15) $y + 9 = 17$ _____

16) $9 + y = 16$ _____

17) $7 - y = 3$ _____

18) $y - 9 = -1$ _____

19) $3 + y = 10$ _____

20) $y + 1 = 5$ _____

21) $7 - y = 0$ _____

22) $y - 7 = -1$ _____

23) $8 + y = 10$ _____

24) $7 + y = 8$ _____

25) $y - 9 = -5$ _____

26) $9 + y = 11$ _____

27) $4 - y = -1$ _____

28) $y - 6 = -2$ _____

29) $5 + y = 9$ _____

30) $y + 4 = 8$ _____

31) $1 - y = 0$ _____

32) $8 - y = 2$ _____

33) $9 + y = 14$ _____

34) $4 - y = 1$ _____

35) $y + 3 = 6$ _____

36) $9 + y = 12$ _____

37) $1 + y = 9$ _____

38) $y - 2 = -1$ _____

39) $3 + y = 11$ _____

40) $7 + y = 14$ _____

41) $5 + y = 6$ _____

42) $8 - y = 3$ _____

43) $1 + y = 5$ _____

44) $y + 7 = 13$ _____

45) $3 - y = 2$ _____

46) $6 + y = 10$ _____

47) $7 + y = 15$ _____

48) $y + 8 = 14$ _____

49) $3 - y = 1$ _____

50) $y - 3 = 6$ _____

M) Solve for the variable.

1) $7 + y = 16$ _____
2) $3 + y = 5$ _____
3) $6 - y = 5$ _____
4) $2 - y = -3$ _____

5) $y + 2 = 10$ _____
6) $6 + y = 7$ _____
7) $1 + y = 5$ _____
8) $y - 5 = -1$ _____

9) $y - 1 = 2$ _____
10) $y - 3 = -1$ _____
11) $5 - y = 3$ _____
12) $8 + y = 14$ _____

13) $9 + y = 11$ _____
14) $y + 6 = 10$ _____
15) $4 + y = 5$ _____
16) $7 + y = 11$ _____

17) $1 - y = 0$ _____
18) $5 + y = 14$ _____
19) $y - 1 = 3$ _____
20) $y - 1 = 6$ _____

21) $3 - y = -3$ _____
22) $1 + y = 8$ _____
23) $9 + y = 10$ _____
24) $y - 3 = 6$ _____

25) $y + 4 = 9$ _____
26) $y + 5 = 8$ _____
27) $2 - y = -4$ _____
28) $5 + y = 12$ _____

29) $7 + y = 9$ _____
30) $y - 6 = -1$ _____
31) $y - 4 = -1$ _____
32) $y - 4 = -3$ _____

33) $y + 1 = 8$ _____
34) $y + 4 = 10$ _____
35) $2 - y = 0$ _____
36) $6 + y = 8$ _____

37) $6 + y = 9$ _____
38) $7 + y = 14$ _____
39) $y + 9 = 15$ _____
40) $y + 5 = 6$ _____

41) $y - 3 = 1$ _____
42) $2 + y = 8$ _____
43) $8 + y = 9$ _____
44) $2 - y = 1$ _____

45) $y - 6 = 2$ _____
46) $1 - y = -5$ _____
47) $4 + y = 9$ _____
48) $y + 3 = 10$ _____

49) $y - 7 = -6$ _____
50) $3 + y = 10$ _____

N) Solve for the variable.

1) $4 + y = 10$ _____

2) $y - 8 = -7$ _____

3) $y + 4 = 7$ _____

4) $8 - y = 4$ _____

5) $7 + y = 13$ _____

6) $1 + y = 9$ _____

7) $9 - y = 5$ _____

8) $y + 4 = 6$ _____

9) $3 + y = 10$ _____

10) $y + 6 = 14$ _____

11) $y + 9 = 17$ _____

12) $y - 5 = -4$ _____

13) $y + 4 = 10$ _____

14) $4 + y = 12$ _____

15) $y + 2 = 6$ _____

16) $y + 3 = 11$ _____

17) $6 - y = -3$ _____

18) $y + 5 = 8$ _____

19) $y + 9 = 14$ _____

20) $6 + y = 11$ _____

21) $6 - y = 4$ _____

22) $y + 2 = 11$ _____

23) $2 + y = 7$ _____

24) $6 - y = 1$ _____

25) $y + 8 = 10$ _____

26) $y + 9 = 18$ _____

27) $1 + y = 2$ _____

28) $y + 2 = 4$ _____

29) $y + 7 = 12$ _____

30) $y - 8 = -3$ _____

31) $9 - y = 1$ _____

32) $1 - y = -6$ _____

33) $y + 9 = 16$ _____

34) $y - 1 = 2$ _____

35) $6 + y = 12$ _____

36) $y - 3 = 5$ _____

37) $y - 4 = -3$ _____

38) $y + 3 = 10$ _____

39) $y + 1 = 3$ _____

40) $4 + y = 7$ _____

41) $4 - y = -5$ _____

42) $9 + y = 16$ _____

43) $1 - y = -5$ _____

44) $2 + y = 5$ _____

45) $8 + y = 9$ _____

46) $y - 5 = 0$ _____

47) $2 + y = 11$ _____

48) $5 - y = -1$ _____

49) $7 + y = 8$ _____

50) $1 - y = -2$ _____

O) Solve for the variable.

1) $y - 7 = 1$ _____   2) $y + 6 = 7$ _____   3) $y - 4 = 4$ _____   4) $5 - y = 3$ _____

5) $y + 2 = 6$ _____   6) $6 - y = 2$ _____   7) $y + 8 = 15$ _____   8) $8 + y = 17$ _____

9) $y + 2 = 9$ _____   10) $8 + y = 11$ _____   11) $y + 9 = 12$ _____   12) $y + 9 = 15$ _____

13) $1 + y = 2$ _____   14) $2 + y = 5$ _____   15) $y + 3 = 12$ _____   16) $y - 1 = 0$ _____

17) $y + 4 = 11$ _____   18) $3 + y = 10$ _____   19) $y - 4 = 3$ _____   20) $4 - y = -4$ _____

21) $8 - y = -1$ _____   22) $y + 5 = 12$ _____   23) $5 + y = 8$ _____   24) $y + 8 = 12$ _____

25) $y - 7 = -3$ _____   26) $2 - y = -7$ _____   27) $y - 1 = 1$ _____   28) $6 + y = 13$ _____

29) $3 - y = 1$ _____   30) $y - 2 = 0$ _____   31) $2 - y = -4$ _____   32) $y - 1 = 6$ _____

33) $y - 4 = 0$ _____   34) $9 + y = 13$ _____   35) $3 + y = 8$ _____   36) $8 - y = 2$ _____

37) $8 - y = 6$ _____   38) $y - 1 = 5$ _____   39) $y + 5 = 7$ _____   40) $y - 2 = 7$ _____

41) $6 - y = -1$ _____   42) $8 - y = 7$ _____   43) $4 - y = -5$ _____   44) $y - 8 = -1$ _____

45) $y + 5 = 13$ _____   46) $y + 1 = 9$ _____   47) $6 - y = 4$ _____   48) $y + 6 = 9$ _____

49) $1 - y = -4$ _____   50) $y - 9 = -6$ _____

P) Solve for the variable.

1) $3 + y = 10$ _____
2) $7 + y = 10$ _____
3) $y - 6 = 3$ _____
4) $y + 9 = 11$ _____

5) $y + 6 = 10$ _____
6) $8 + y = 11$ _____
7) $y + 4 = 8$ _____
8) $y - 9 = -4$ _____

9) $3 - y = 2$ _____
10) $1 + y = 7$ _____
11) $5 + y = 8$ _____
12) $y - 3 = -2$ _____

13) $2 + y = 4$ _____
14) $1 - y = -1$ _____
15) $3 + y = 4$ _____
16) $3 + y = 7$ _____

17) $1 + y = 4$ _____
18) $y + 4 = 5$ _____
19) $y - 1 = 7$ _____
20) $6 + y = 8$ _____

21) $7 - y = 4$ _____
22) $9 - y = 6$ _____
23) $y - 2 = 0$ _____
24) $4 + y = 9$ _____

25) $6 - y = 4$ _____
26) $2 + y = 3$ _____
27) $6 + y = 10$ _____
28) $1 - y = -7$ _____

29) $y + 1 = 6$ _____
30) $y - 3 = 3$ _____
31) $y + 2 = 6$ _____
32) $2 + y = 5$ _____

33) $y + 8 = 12$ _____
34) $9 + y = 11$ _____
35) $4 + y = 11$ _____
36) $2 - y = 1$ _____

37) $y + 5 = 13$ _____
38) $y - 1 = 3$ _____
39) $5 - y = 4$ _____
40) $y + 9 = 12$ _____

41) $y - 9 = -7$ _____
42) $8 - y = 3$ _____
43) $9 - y = 2$ _____
44) $y + 6 = 12$ _____

45) $y + 6 = 13$ _____
46) $1 - y = -6$ _____
47) $y + 6 = 8$ _____
48) $y + 4 = 6$ _____

49) $7 + y = 15$ _____
50) $1 + y = 2$ _____

Q) Solve for the variable.

1) $6 - y = -1$ _____   2) $6 + y = 12$ _____   3) $5 - y = 2$ _____   4) $y - 3 = 3$ _____

5) $3 + y = 8$ _____   6) $6 + y = 10$ _____   7) $5 - y = 3$ _____   8) $y + 3 = 9$ _____

9) $y - 1 = 0$ _____   10) $3 + y = 7$ _____   11) $7 + y = 11$ _____   12) $2 + y = 4$ _____

13) $y - 4 = 0$ _____   14) $y - 2 = 1$ _____   15) $y + 1 = 6$ _____   16) $y + 9 = 15$ _____

17) $3 + y = 12$ _____   18) $y - 4 = 3$ _____   19) $7 - y = -2$ _____   20) $y - 7 = 0$ _____

21) $y + 6 = 14$ _____   22) $2 + y = 10$ _____   23) $9 - y = 4$ _____   24) $9 + y = 17$ _____

25) $y + 2 = 11$ _____   26) $y + 5 = 11$ _____   27) $y + 4 = 5$ _____   28) $8 + y = 10$ _____

29) $9 + y = 15$ _____   30) $y - 6 = -4$ _____   31) $y + 2 = 6$ _____   32) $y - 1 = 5$ _____

33) $4 + y = 10$ _____   34) $y + 5 = 7$ _____   35) $y + 9 = 17$ _____   36) $2 - y = 1$ _____

37) $y - 6 = -5$ _____   38) $y + 1 = 2$ _____   39) $y + 5 = 13$ _____   40) $4 - y = -3$ _____

41) $7 - y = 1$ _____   42) $3 + y = 9$ _____   43) $y - 9 = -1$ _____   44) $1 + y = 4$ _____

45) $y + 2 = 9$ _____   46) $9 - y = 0$ _____   47) $1 + y = 9$ _____   48) $y + 8 = 14$ _____

49) $y - 8 = -6$ _____   50) $9 + y = 14$ _____

R) Solve for the variable.

1) $y + 6 = 15$ _____

2) $y - 1 = 2$ _____

3) $y - 6 = -3$ _____

4) $y + 6 = 14$ _____

5) $5 - y = -1$ _____

6) $2 + y = 6$ _____

7) $5 - y = -4$ _____

8) $7 - y = 0$ _____

9) $y + 8 = 9$ _____

10) $7 + y = 15$ _____

11) $9 - y = 4$ _____

12) $y + 6 = 13$ _____

13) $y + 6 = 9$ _____

14) $y + 4 = 12$ _____

15) $y - 2 = 3$ _____

16) $y + 6 = 12$ _____

17) $7 - y = 3$ _____

18) $y + 3 = 9$ _____

19) $y - 5 = -2$ _____

20) $7 - y = -1$ _____

21) $y - 9 = -2$ _____

22) $2 + y = 11$ _____

23) $y - 1 = 0$ _____

24) $9 - y = 0$ _____

25) $y + 2 = 6$ _____

26) $y + 8 = 14$ _____

27) $y + 4 = 8$ _____

28) $y - 3 = -1$ _____

29) $1 - y = -4$ _____

30) $6 + y = 7$ _____

31) $y + 5 = 9$ _____

32) $1 - y = -8$ _____

33) $y - 4 = 2$ _____

34) $2 + y = 5$ _____

35) $y + 3 = 12$ _____

36) $4 + y = 13$ _____

37) $y - 4 = 0$ _____

38) $y + 5 = 7$ _____

39) $y + 7 = 15$ _____

40) $1 - y = -6$ _____

41) $y + 9 = 14$ _____

42) $5 - y = 2$ _____

43) $y - 1 = 3$ _____

44) $6 - y = 0$ _____

45) $6 - y = 3$ _____

46) $6 - y = -3$ _____

47) $7 - y = 6$ _____

48) $9 - y = 1$ _____

49) $1 - y = -3$ _____

50) $y + 1 = 4$ _____

S) Solve for the variable.

1) $4 + y = 13$ _____

2) $5 - y = -4$ _____

3) $y - 7 = 0$ _____

4) $y - 9 = -3$ _____

5) $8 + y = 14$ _____

6) $y - 4 = -1$ _____

7) $y - 8 = -1$ _____

8) $3 - y = 0$ _____

9) $y - 5 = -2$ _____

10) $2 - y = -1$ _____

11) $y - 3 = 1$ _____

12) $y - 3 = 4$ _____

13) $y + 5 = 8$ _____

14) $y + 1 = 5$ _____

15) $y + 6 = 9$ _____

16) $y - 3 = 3$ _____

17) $9 + y = 11$ _____

18) $3 - y = -6$ _____

19) $y - 9 = -2$ _____

20) $6 - y = 0$ _____

21) $y - 5 = -4$ _____

22) $1 - y = -1$ _____

23) $y + 3 = 6$ _____

24) $y - 5 = 0$ _____

25) $y - 2 = 4$ _____

26) $3 - y = -5$ _____

27) $y + 7 = 10$ _____

28) $3 - y = -3$ _____

29) $y + 7 = 11$ _____

30) $1 + y = 8$ _____

31) $6 + y = 13$ _____

32) $y + 9 = 15$ _____

33) $y + 5 = 14$ _____

34) $2 + y = 7$ _____

35) $5 - y = -2$ _____

36) $4 - y = -4$ _____

37) $9 - y = 7$ _____

38) $3 + y = 5$ _____

39) $3 + y = 4$ _____

40) $y + 7 = 12$ _____

41) $y - 6 = 3$ _____

42) $y - 2 = 5$ _____

43) $y - 1 = 5$ _____

44) $y - 9 = 0$ _____

45) $9 - y = 5$ _____

46) $y + 1 = 10$ _____

47) $6 + y = 9$ _____

48) $y - 9 = -5$ _____

49) $6 + y = 12$ _____

50) $5 - y = 1$ _____

T) Solve for the variable.

1) $13 + y = 18$ _____
2) $9 - y = 1$ _____
3) $y - 18 = -3$ _____
4) $y + 12 = 23$ _____

5) $8 + y = 26$ _____
6) $y + 8 = 21$ _____
7) $9 + y = 23$ _____
8) $11 - y = -2$ _____

9) $y + 11 = 21$ _____
10) $5 - y = -9$ _____
11) $20 + y = 37$ _____
12) $12 + y = 21$ _____

13) $18 - y = 10$ _____
14) $y + 10 = 11$ _____
15) $16 + y = 26$ _____
16) $18 + y = 33$ _____

17) $y + 8 = 25$ _____
18) $20 - y = 15$ _____
19) $y - 17 = -7$ _____
20) $14 + y = 16$ _____

21) $11 + y = 31$ _____
22) $18 + y = 27$ _____
23) $y - 9 = -4$ _____
24) $19 + y = 38$ _____

25) $10 + y = 17$ _____
26) $14 - y = 6$ _____
27) $y - 14 = -4$ _____
28) $y + 16 = 36$ _____

29) $y - 1 = 13$ _____
30) $11 + y = 19$ _____
31) $y - 1 = 16$ _____
32) $17 - y = -1$ _____

33) $y + 19 = 39$ _____
34) $y - 1 = 11$ _____
35) $14 - y = 7$ _____
36) $y + 14 = 18$ _____

37) $17 + y = 21$ _____
38) $y - 1 = 2$ _____
39) $y - 3 = 16$ _____
40) $4 - y = -5$ _____

41) $9 - y = 6$ _____
42) $y - 10 = -9$ _____
43) $6 + y = 10$ _____
44) $8 - y = 4$ _____

45) $11 - y = 2$ _____
46) $y + 7 = 14$ _____
47) $5 - y = -5$ _____
48) $4 + y = 5$ _____

49) $y - 7 = 2$ _____
50) $18 - y = 0$ _____

U) Solve for the variable.

1) $3 + y = 8$ _____   2) $9 + y = 10$ _____   3) $y + 1 = 7$ _____   4) $y + 8 = 18$ _____

5) $y + 9 = 25$ _____   6) $18 - y = 5$ _____   7) $19 - y = 2$ _____   8) $y - 6 = 7$ _____

9) $7 - y = -9$ _____   10) $6 + y = 14$ _____   11) $y + 8 = 12$ _____   12) $9 + y = 18$ _____

13) $y - 17 = -15$ _____   14) $3 - y = -4$ _____   15) $13 + y = 18$ _____   16) $y + 5 = 13$ _____

17) $13 + y = 19$ _____   18) $y + 18 = 37$ _____   19) $y - 8 = 0$ _____   20) $y + 10 = 17$ _____

21) $18 - y = 6$ _____   22) $12 + y = 18$ _____   23) $y + 8 = 9$ _____   24) $2 + y = 16$ _____

25) $y - 16 = -10$ _____   26) $17 + y = 26$ _____   27) $9 - y = 2$ _____   28) $y - 15 = 5$ _____

29) $y - 20 = -4$ _____   30) $y + 9 = 29$ _____   31) $y + 3 = 21$ _____   32) $16 - y = 5$ _____

33) $y - 13 = -11$ _____   34) $20 + y = 34$ _____   35) $y - 15 = 3$ _____   36) $y - 19 = -1$ _____

37) $10 - y = -7$ _____   38) $y - 12 = -1$ _____   39) $16 + y = 20$ _____   40) $8 - y = -6$ _____

41) $16 - y = 7$ _____   42) $y + 17 = 19$ _____   43) $y - 20 = -11$ _____   44) $17 - y = 11$ _____

45) $y + 5 = 12$ _____   46) $y + 9 = 11$ _____   47) $y + 18 = 27$ _____   48) $12 + y = 28$ _____

49) $16 + y = 17$ _____   50) $y + 9 = 14$ _____

V) Solve for the variable.

1) $y - 3 = 5$ _____ 　　2) $8 - y = -10$ _____ 　　3) $5 - y = 0$ _____ 　　4) $18 + y = 34$ _____

5) $y - 4 = 15$ _____ 　　6) $11 + y = 22$ _____ 　　7) $20 - y = 4$ _____ 　　8) $10 + y = 16$ _____

9) $20 - y = 13$ _____ 　　10) $y + 20 = 24$ _____ 　　11) $15 - y = 5$ _____ 　　12) $8 + y = 10$ _____

13) $3 - y = -16$ _____ 　　14) $8 + y = 13$ _____ 　　15) $12 + y = 15$ _____ 　　16) $y + 13 = 28$ _____

17) $y + 12 = 14$ _____ 　　18) $y - 9 = 4$ _____ 　　19) $y + 18 = 21$ _____ 　　20) $y + 4 = 11$ _____

21) $y + 18 = 31$ _____ 　　22) $y + 8 = 18$ _____ 　　23) $5 - y = -13$ _____ 　　24) $y + 6 = 12$ _____

25) $13 + y = 15$ _____ 　　26) $y + 7 = 12$ _____ 　　27) $y + 18 = 25$ _____ 　　28) $y - 7 = 8$ _____

29) $15 + y = 22$ _____ 　　30) $y + 14 = 32$ _____ 　　31) $4 + y = 21$ _____ 　　32) $9 + y = 27$ _____

33) $9 - y = 0$ _____ 　　34) $3 + y = 5$ _____ 　　35) $y - 2 = 1$ _____ 　　36) $20 - y = 0$ _____

37) $2 + y = 22$ _____ 　　38) $18 + y = 28$ _____ 　　39) $y + 16 = 28$ _____ 　　40) $y + 10 = 24$ _____

41) $19 - y = 13$ _____ 　　42) $y + 14 = 24$ _____ 　　43) $8 + y = 24$ _____ 　　44) $5 - y = -11$ _____

45) $14 + y = 31$ _____ 　　46) $3 + y = 4$ _____ 　　47) $y - 5 = 1$ _____ 　　48) $y - 17 = -5$ _____

49) $y - 13 = -4$ _____ 　　50) $y + 17 = 36$ _____

W) Solve for the variable.

1) 17 - y = 10 _____   2) 14 - y = 5 _____   3) 7 - y = -6 _____   4) y + 10 = 13 _____

5) 18 - y = -1 _____   6) y - 12 = 6 _____   7) y - 18 = -1 _____   8) 20 + y = 36 _____

9) 12 + y = 21 _____   10) 20 - y = 16 _____   11) y + 7 = 25 _____   12) 17 - y = 15 _____

13) y + 13 = 30 _____   14) y - 17 = -1 _____   15) 14 + y = 15 _____   16) y - 11 = 6 _____

17) y - 4 = 13 _____   18) 20 + y = 32 _____   19) y - 17 = -4 _____   20) 9 + y = 26 _____

21) 5 - y = -14 _____   22) y - 18 = -12 _____   23) 8 + y = 12 _____   24) y - 12 = -5 _____

25) y - 1 = 19 _____   26) 14 - y = 0 _____   27) y - 17 = 2 _____   28) 16 - y = 6 _____

29) 10 - y = -3 _____   30) 12 - y = -2 _____   31) 17 - y = 11 _____   32) y - 17 = 0 _____

33) y - 7 = -4 _____   34) 16 + y = 30 _____   35) y - 9 = 10 _____   36) y - 15 = -12 _____

37) y - 20 = 0 _____   38) y + 20 = 22 _____   39) 14 - y = 1 _____   40) y + 4 = 11 _____

41) 17 - y = 4 _____   42) y + 3 = 11 _____   43) y - 20 = -8 _____   44) 8 - y = -3 _____

45) 2 - y = 1 _____   46) y - 16 = -11 _____   47) y + 19 = 20 _____   48) 2 - y = -7 _____

49) y + 1 = 16 _____   50) 8 + y = 22 _____

X) Solve for the variable.

1) $8 - y = 2$ _____

2) $y - 18 = 0$ _____

3) $y - 10 = -8$ _____

4) $y - 9 = 3$ _____

5) $y + 14 = 32$ _____

6) $7 + y = 18$ _____

7) $11 - y = -8$ _____

8) $14 - y = 0$ _____

9) $y - 11 = 6$ _____

10) $y - 4 = -1$ _____

11) $y - 9 = 11$ _____

12) $19 - y = 17$ _____

13) $y - 8 = 12$ _____

14) $17 - y = 11$ _____

15) $8 - y = -10$ _____

16) $5 + y = 15$ _____

17) $y + 16 = 34$ _____

18) $y + 9 = 10$ _____

19) $16 - y = 15$ _____

20) $y + 7 = 23$ _____

21) $y - 5 = 0$ _____

22) $y - 12 = 4$ _____

23) $9 + y = 23$ _____

24) $y + 20 = 35$ _____

25) $19 + y = 35$ _____

26) $13 + y = 19$ _____

27) $y - 16 = -8$ _____

28) $y - 15 = 4$ _____

29) $y - 6 = 7$ _____

30) $y - 1 = 0$ _____

31) $10 + y = 28$ _____

32) $13 + y = 29$ _____

33) $19 - y = 13$ _____

34) $18 - y = 1$ _____

35) $16 - y = -1$ _____

36) $13 - y = 6$ _____

37) $14 + y = 20$ _____

38) $20 + y = 23$ _____

39) $y - 9 = 2$ _____

40) $19 + y = 28$ _____

41) $y + 13 = 30$ _____

42) $6 - y = 4$ _____

43) $2 + y = 3$ _____

44) $y - 1 = 2$ _____

45) $14 + y = 33$ _____

46) $5 - y = -11$ _____

47) $y - 11 = -8$ _____

48) $2 - y = -11$ _____

49) $y - 10 = 6$ _____

50) $y - 3 = -1$ _____

Y) Solve for the variable.

1) $16 - y = 2$ _____   2) $y - 6 = 14$ _____   3) $y + 4 = 21$ _____   4) $y + 1 = 3$ _____

5) $7 - y = 6$ _____   6) $20 - y = 12$ _____   7) $1 + y = 11$ _____   8) $y - 9 = 5$ _____

9) $y - 11 = 8$ _____   10) $2 + y = 18$ _____   11) $y + 6 = 8$ _____   12) $20 + y = 28$ _____

13) $15 + y = 33$ _____   14) $10 - y = 3$ _____   15) $3 - y = 2$ _____   16) $2 - y = -17$ _____

17) $y + 1 = 6$ _____   18) $15 + y = 30$ _____   19) $y + 15 = 25$ _____   20) $y + 17 = 26$ _____

21) $y - 9 = 10$ _____   22) $17 - y = -1$ _____   23) $y - 15 = 4$ _____   24) $y + 6 = 16$ _____

25) $18 - y = 13$ _____   26) $8 - y = -12$ _____   27) $13 - y = -2$ _____   28) $y - 10 = -4$ _____

29) $y - 5 = 5$ _____   30) $11 - y = 10$ _____   31) $19 + y = 39$ _____   32) $4 + y = 6$ _____

33) $16 - y = -4$ _____   34) $y - 4 = 16$ _____   35) $3 - y = -2$ _____   36) $y - 14 = 4$ _____

37) $9 - y = 6$ _____   38) $y - 1 = 8$ _____   39) $y - 5 = 3$ _____   40) $9 - y = -10$ _____

41) $y + 4 = 9$ _____   42) $11 - y = 5$ _____   43) $y + 20 = 29$ _____   44) $y - 20 = -10$ _____

45) $6 + y = 10$ _____   46) $6 + y = 25$ _____   47) $11 + y = 28$ _____   48) $14 + y = 32$ _____

49) $y - 10 = 2$ _____   50) $y - 19 = -9$ _____

Z) Solve for the variable.

1) $7 + y = 21$ _____   2) $2 - y = -15$ _____   3) $9 + y = 12$ _____   4) $17 + y = 37$ _____

5) $y + 1 = 2$ _____   6) $18 - y = -2$ _____   7) $y + 11 = 28$ _____   8) $y - 13 = 0$ _____

9) $y + 12 = 21$ _____   10) $3 - y = -1$ _____   11) $y + 1 = 4$ _____   12) $6 - y = 2$ _____

13) $6 + y = 16$ _____   14) $13 + y = 33$ _____   15) $10 + y = 18$ _____   16) $9 + y = 13$ _____

17) $y - 4 = -3$ _____   18) $y - 13 = -5$ _____   19) $9 + y = 22$ _____   20) $y + 11 = 22$ _____

21) $y - 13 = 1$ _____   22) $y - 2 = 5$ _____   23) $y + 16 = 30$ _____   24) $3 + y = 9$ _____

25) $11 + y = 24$ _____   26) $y + 2 = 19$ _____   27) $y + 1 = 17$ _____   28) $y + 6 = 13$ _____

29) $8 + y = 26$ _____   30) $12 + y = 31$ _____   31) $y - 17 = -6$ _____   32) $y - 14 = -3$ _____

33) $y - 15 = -2$ _____   34) $19 - y = 6$ _____   35) $4 + y = 5$ _____   36) $y - 16 = -11$ _____

37) $2 + y = 15$ _____   38) $y - 11 = -1$ _____   39) $y + 5 = 20$ _____   40) $10 + y = 20$ _____

41) $8 - y = 0$ _____   42) $9 - y = -9$ _____   43) $11 - y = 4$ _____   44) $y + 1 = 9$ _____

45) $y + 2 = 20$ _____   46) $y + 11 = 16$ _____   47) $2 + y = 14$ _____   48) $20 - y = 2$ _____

49) $y + 19 = 29$ _____   50) $y - 11 = 6$ _____

AA) Solve for the variable.

1) $8 + y = 17$ _____

2) $y - 4 = 6$ _____

3) $7 + y = 27$ _____

4) $y + 7 = 26$ _____

5) $y + 3 = 20$ _____

6) $y + 19 = 26$ _____

7) $5 + y = 9$ _____

8) $20 - y = 18$ _____

9) $y + 18 = 21$ _____

10) $y - 13 = -10$ _____

11) $3 - y = 0$ _____

12) $14 + y = 18$ _____

13) $y - 9 = 0$ _____

14) $y + 4 = 14$ _____

15) $20 + y = 39$ _____

16) $2 - y = -10$ _____

17) $y + 15 = 21$ _____

18) $y + 19 = 29$ _____

19) $y - 8 = 0$ _____

20) $6 + y = 8$ _____

21) $y - 9 = -7$ _____

22) $6 + y = 16$ _____

23) $y - 7 = 12$ _____

24) $y - 20 = -6$ _____

25) $y + 5 = 13$ _____

26) $y + 3 = 7$ _____

27) $2 - y = -14$ _____

28) $16 + y = 22$ _____

29) $15 + y = 34$ _____

30) $10 - y = -5$ _____

31) $y - 19 = -11$ _____

32) $1 - y = -14$ _____

33) $14 + y = 24$ _____

34) $15 + y = 16$ _____

35) $y + 15 = 30$ _____

36) $12 - y = 10$ _____

37) $11 + y = 26$ _____

38) $y + 4 = 21$ _____

39) $5 + y = 8$ _____

40) $y - 11 = 5$ _____

41) $y - 15 = 1$ _____

42) $15 - y = -5$ _____

43) $y + 11 = 22$ _____

44) $y - 4 = 15$ _____

45) $y - 2 = 2$ _____

46) $y - 8 = 6$ _____

47) $12 - y = 5$ _____

48) $y + 8 = 9$ _____

49) $y - 5 = 4$ _____

50) $14 - y = 10$ _____

BB) Solve for the variable.

1) $4 - y = 2$ _____   2) $y - 17 = 3$ _____   3) $y - 4 = 9$ _____   4) $20 - y = 7$ _____

5) $y + 18 = 35$ _____   6) $11 - y = -4$ _____   7) $10 + y = 23$ _____   8) $19 + y = 30$ _____

9) $y + 17 = 18$ _____   10) $4 + y = 24$ _____   11) $y + 9 = 11$ _____   12) $y + 19 = 28$ _____

13) $11 + y = 23$ _____   14) $6 - y = -13$ _____   15) $y + 2 = 5$ _____   16) $y - 5 = -3$ _____

17) $2 + y = 22$ _____   18) $y + 12 = 21$ _____   19) $15 - y = 7$ _____   20) $3 + y = 14$ _____

21) $2 + y = 15$ _____   22) $8 - y = -9$ _____   23) $y - 5 = 4$ _____   24) $10 + y = 28$ _____

25) $y + 2 = 12$ _____   26) $y + 7 = 27$ _____   27) $y + 17 = 34$ _____   28) $2 - y = -13$ _____

29) $y + 2 = 16$ _____   30) $7 + y = 8$ _____   31) $19 + y = 21$ _____   32) $10 + y = 26$ _____

33) $y + 7 = 24$ _____   34) $14 + y = 25$ _____   35) $4 + y = 11$ _____   36) $y + 14 = 31$ _____

37) $y - 14 = 1$ _____   38) $y + 10 = 29$ _____   39) $10 + y = 16$ _____   40) $3 - y = -5$ _____

41) $10 - y = 8$ _____   42) $3 - y = -12$ _____   43) $8 + y = 13$ _____   44) $y - 15 = 3$ _____

45) $19 + y = 32$ _____   46) $1 - y = -1$ _____   47) $y + 1 = 13$ _____   48) $y + 13 = 17$ _____

49) $1 - y = -2$ _____   50) $y + 20 = 32$ _____

CC) Solve for the variable.

1) $2 + y = 10$ _____ 2) $18 + y = 33$ _____ 3) $y + 15 = 19$ _____ 4) $8 - y = -7$ _____

5) $y + 2 = 20$ _____ 6) $17 - y = -1$ _____ 7) $y + 1 = 5$ _____ 8) $8 - y = 2$ _____

9) $19 - y = 5$ _____ 10) $y + 18 = 33$ _____ 11) $11 + y = 16$ _____ 12) $y + 9 = 10$ _____

13) $y + 7 = 8$ _____ 14) $y - 11 = -8$ _____ 15) $y + 8 = 9$ _____ 16) $y + 13 = 27$ _____

17) $y - 15 = -3$ _____ 18) $16 + y = 23$ _____ 19) $y + 7 = 18$ _____ 20) $y - 20 = -16$ _____

21) $19 - y = 0$ _____ 22) $8 - y = -3$ _____ 23) $y + 9 = 25$ _____ 24) $y - 12 = -6$ _____

25) $y + 4 = 10$ _____ 26) $y + 16 = 31$ _____ 27) $y + 16 = 32$ _____ 28) $y + 17 = 25$ _____

29) $8 + y = 17$ _____ 30) $14 - y = -3$ _____ 31) $12 + y = 29$ _____ 32) $y - 11 = 4$ _____

33) $y + 4 = 13$ _____ 34) $y - 10 = -3$ _____ 35) $6 + y = 8$ _____ 36) $y - 12 = 3$ _____

37) $11 + y = 26$ _____ 38) $y + 13 = 32$ _____ 39) $18 + y = 29$ _____ 40) $14 + y = 26$ _____

41) $y - 12 = -10$ _____ 42) $y - 18 = -12$ _____ 43) $14 + y = 32$ _____ 44) $17 + y = 34$ _____

45) $y - 19 = -12$ _____ 46) $20 + y = 23$ _____ 47) $y - 7 = 6$ _____ 48) $8 + y = 10$ _____

49) $5 + y = 22$ _____ 50) $3 - y = -9$ _____

DD) Solve for the variable.

1) $y + 19 = 20$ _____   2) $4 + y = 22$ _____   3) $y + 18 = 21$ _____   4) $5 - y = -15$ _____

5) $9 + y = 18$ _____   6) $y + 15 = 36$ _____   7) $26 + y = 49$ _____   8) $23 + y = 45$ _____

9) $23 - y = -7$ _____   10) $25 - y = 11$ _____   11) $y - 30 = -28$ _____   12) $y - 15 = 2$ _____

13) $9 - y = -7$ _____   14) $y + 3 = 25$ _____   15) $10 - y = 2$ _____   16) $24 + y = 44$ _____

17) $20 + y = 43$ _____   18) $5 + y = 22$ _____   19) $14 + y = 17$ _____   20) $y - 23 = 4$ _____

21) $y + 28 = 40$ _____   22) $15 + y = 38$ _____   23) $16 + y = 32$ _____   24) $21 + y = 26$ _____

25) $23 + y = 38$ _____   26) $y - 16 = 4$ _____   27) $y - 1 = 29$ _____   28) $y + 2 = 29$ _____

29) $3 + y = 23$ _____   30) $y + 18 = 27$ _____   31) $y + 3 = 29$ _____   32) $11 + y = 13$ _____

33) $16 + y = 17$ _____   34) $26 - y = 23$ _____   35) $y - 6 = 13$ _____   36) $8 + y = 28$ _____

37) $3 + y = 6$ _____   38) $2 + y = 6$ _____   39) $y + 24 = 40$ _____   40) $y + 24 = 54$ _____

41) $y + 18 = 44$ _____   42) $11 + y = 36$ _____   43) $18 - y = 9$ _____   44) $y - 20 = 1$ _____

45) $y + 3 = 30$ _____   46) $y - 25 = -10$ _____   47) $y - 9 = 16$ _____   48) $27 - y = 17$ _____

49) $y - 13 = 4$ _____   50) $8 - y = -7$ _____

EE) Solve for the variable.

1) $27 + y = 51$ _____   2) $24 + y = 52$ _____   3) $23 - y = 0$ _____   4) $21 + y = 42$ _____

5) $3 - y = -17$ _____   6) $y - 23 = -17$ _____   7) $30 - y = 19$ _____   8) $y + 13 = 22$ _____

9) $16 - y = 14$ _____   10) $9 + y = 37$ _____   11) $19 + y = 24$ _____   12) $4 - y = -22$ _____

13) $8 + y = 36$ _____   14) $y - 27 = -23$ _____   15) $18 + y = 43$ _____   16) $14 - y = 3$ _____

17) $y - 4 = 12$ _____   18) $16 - y = 2$ _____   19) $16 + y = 26$ _____   20) $y + 8 = 36$ _____

21) $y - 20 = -19$ _____   22) $6 - y = 2$ _____   23) $18 - y = 10$ _____   24) $y - 12 = 6$ _____

25) $y - 9 = 14$ _____   26) $y - 24 = -20$ _____   27) $y + 21 = 36$ _____   28) $y + 23 = 35$ _____

29) $y + 29 = 50$ _____   30) $y - 26 = -5$ _____   31) $y + 24 = 44$ _____   32) $y - 8 = -5$ _____

33) $y - 26 = -19$ _____   34) $8 + y = 35$ _____   35) $y + 25 = 51$ _____   36) $28 + y = 34$ _____

37) $y - 2 = 3$ _____   38) $y - 29 = -2$ _____   39) $30 - y = 29$ _____   40) $8 - y = 7$ _____

41) $y + 22 = 32$ _____   42) $5 + y = 14$ _____   43) $22 - y = 2$ _____   44) $y + 26 = 53$ _____

45) $22 + y = 45$ _____   46) $24 + y = 42$ _____   47) $20 - y = 18$ _____   48) $19 - y = 11$ _____

49) $18 + y = 46$ _____   50) $27 - y = 4$ _____

FF) Solve for the variable.

1) $y - 30 = -24$ _____   2) $y + 11 = 33$ _____   3) $1 + y = 17$ _____   4) $19 - y = 2$ _____

5) $y - 28 = -1$ _____   6) $18 - y = -6$ _____   7) $y - 30 = -11$ _____   8) $y - 8 = 19$ _____

9) $y - 16 = 7$ _____   10) $18 + y = 46$ _____   11) $27 + y = 46$ _____   12) $11 - y = 4$ _____

13) $25 - y = -5$ _____   14) $y + 23 = 28$ _____   15) $18 - y = -3$ _____   16) $y + 17 = 37$ _____

17) $26 - y = 7$ _____   18) $5 + y = 29$ _____   19) $23 - y = -3$ _____   20) $8 + y = 13$ _____

21) $11 - y = -11$ _____   22) $11 - y = 1$ _____   23) $y - 4 = 26$ _____   24) $y + 22 = 33$ _____

25) $y + 8 = 34$ _____   26) $y - 9 = 11$ _____   27) $y - 23 = -16$ _____   28) $12 + y = 29$ _____

29) $20 - y = 5$ _____   30) $y - 2 = 15$ _____   31) $12 - y = -15$ _____   32) $y - 7 = 23$ _____

33) $y + 1 = 10$ _____   34) $y - 30 = -2$ _____   35) $25 + y = 28$ _____   36) $16 - y = -11$ _____

37) $y + 14 = 22$ _____   38) $y - 6 = 11$ _____   39) $y + 21 = 29$ _____   40) $20 + y = 33$ _____

41) $28 - y = 18$ _____   42) $2 - y = -9$ _____   43) $11 + y = 15$ _____   44) $8 + y = 26$ _____

45) $y - 8 = -4$ _____   46) $y - 7 = 3$ _____   47) $23 - y = 8$ _____   48) $22 - y = 17$ _____

49) $2 + y = 31$ _____   50) $y - 11 = -4$ _____

GG) Solve for the variable.

1) $y - 13 = -1$ _____ 2) $y + 19 = 41$ _____ 3) $12 + y = 31$ _____ 4) $y + 13 = 31$ _____

5) $30 + y = 35$ _____ 6) $y + 13 = 17$ _____ 7) $12 + y = 15$ _____ 8) $25 - y = 0$ _____

9) $5 + y = 11$ _____ 10) $15 + y = 22$ _____ 11) $25 - y = -1$ _____ 12) $y - 27 = -22$ _____

13) $22 + y = 32$ _____ 14) $30 + y = 47$ _____ 15) $y + 10 = 21$ _____ 16) $7 + y = 21$ _____

17) $y - 16 = -7$ _____ 18) $y + 12 = 21$ _____ 19) $14 - y = -8$ _____ 20) $y - 15 = 15$ _____

21) $y + 12 = 23$ _____ 22) $14 + y = 37$ _____ 23) $26 + y = 33$ _____ 24) $y - 19 = -8$ _____

25) $y + 5 = 12$ _____ 26) $18 + y = 22$ _____ 27) $30 - y = 8$ _____ 28) $y + 17 = 23$ _____

29) $8 + y = 33$ _____ 30) $28 + y = 30$ _____ 31) $20 - y = 19$ _____ 32) $y + 21 = 23$ _____

33) $y - 20 = 8$ _____ 34) $y - 13 = 12$ _____ 35) $y + 13 = 25$ _____ 36) $6 - y = -24$ _____

37) $26 - y = 12$ _____ 38) $y - 15 = -13$ _____ 39) $30 - y = 18$ _____ 40) $11 - y = 4$ _____

41) $22 + y = 25$ _____ 42) $15 + y = 32$ _____ 43) $10 + y = 33$ _____ 44) $y + 19 = 23$ _____

45) $25 - y = -3$ _____ 46) $26 + y = 37$ _____ 47) $y - 24 = -13$ _____ 48) $y - 6 = 19$ _____

49) $3 - y = -12$ _____ 50) $y + 24 = 48$ _____

HH) Solve for the variable.

1) $27 - y = -2$ _____   2) $3 + y = 16$ _____   3) $y - 23 = -19$ _____   4) $y + 12 = 20$ _____

5) $3 - y = -15$ _____   6) $y + 1 = 28$ _____   7) $y - 18 = 4$ _____   8) $y + 28 = 31$ _____

9) $18 + y = 19$ _____   10) $6 + y = 10$ _____   11) $y + 21 = 24$ _____   12) $y + 2 = 15$ _____

13) $10 + y = 11$ _____   14) $19 - y = 13$ _____   15) $y + 19 = 47$ _____   16) $11 + y = 33$ _____

17) $y - 14 = 14$ _____   18) $3 + y = 23$ _____   19) $y + 7 = 11$ _____   20) $17 - y = -11$ _____

21) $y - 6 = 17$ _____   22) $y + 18 = 35$ _____   23) $y - 18 = -13$ _____   24) $22 - y = -6$ _____

25) $y + 2 = 4$ _____   26) $y - 28 = -2$ _____   27) $y - 6 = 7$ _____   28) $y + 7 = 33$ _____

29) $y - 1 = 15$ _____   30) $3 - y = -1$ _____   31) $5 + y = 8$ _____   32) $y + 14 = 28$ _____

33) $7 + y = 12$ _____   34) $4 + y = 12$ _____   35) $15 + y = 29$ _____   36) $y + 11 = 36$ _____

37) $15 + y = 24$ _____   38) $12 + y = 40$ _____   39) $y + 25 = 29$ _____   40) $y + 23 = 51$ _____

41) $10 + y = 31$ _____   42) $y - 27 = -23$ _____   43) $24 + y = 37$ _____   44) $y + 22 = 31$ _____

45) $19 - y = -8$ _____   46) $y - 3 = 1$ _____   47) $4 - y = -10$ _____   48) $23 + y = 44$ _____

49) $y - 3 = 19$ _____   50) $11 - y = 10$ _____

II) Solve for the variable.

1) $29 + y = 42$ _____

2) $25 + y = 47$ _____

3) $y + 12 = 33$ _____

4) $19 - y = -2$ _____

5) $y - 5 = 2$ _____

6) $1 - y = 0$ _____

7) $y - 3 = 16$ _____

8) $y + 10 = 18$ _____

9) $2 + y = 16$ _____

10) $9 - y = -1$ _____

11) $y + 30 = 37$ _____

12) $15 - y = 0$ _____

13) $y + 17 = 34$ _____

14) $y + 25 = 46$ _____

15) $y + 18 = 41$ _____

16) $15 + y = 33$ _____

17) $y - 27 = -9$ _____

18) $y + 5 = 19$ _____

19) $1 + y = 5$ _____

20) $y + 15 = 44$ _____

21) $6 - y = -19$ _____

22) $y + 13 = 19$ _____

23) $5 - y = -11$ _____

24) $y - 11 = 11$ _____

25) $25 + y = 34$ _____

26) $y + 6 = 35$ _____

27) $28 - y = 17$ _____

28) $y - 30 = -18$ _____

29) $y - 11 = 18$ _____

30) $y - 4 = 2$ _____

31) $21 + y = 45$ _____

32) $28 - y = 9$ _____

33) $21 - y = 8$ _____

34) $13 + y = 36$ _____

35) $10 - y = -18$ _____

36) $15 - y = -10$ _____

37) $y - 13 = -8$ _____

38) $y - 2 = 23$ _____

39) $11 + y = 12$ _____

40) $y + 11 = 36$ _____

41) $1 + y = 15$ _____

42) $y - 10 = 10$ _____

43) $y - 8 = 13$ _____

44) $y + 15 = 30$ _____

45) $6 + y = 27$ _____

46) $28 - y = 3$ _____

47) $24 + y = 36$ _____

48) $y + 17 = 44$ _____

49) $22 + y = 44$ _____

50) $3 + y = 33$ _____

JJ) Solve for the variable.

1) $27 + y = 52$ _____   2) $13 + y = 27$ _____   3) $12 + y = 39$ _____   4) $4 - y = -23$ _____

5) $16 + y = 22$ _____   6) $y + 11 = 27$ _____   7) $y - 2 = 12$ _____   8) $y - 17 = -8$ _____

9) $17 - y = 13$ _____   10) $13 + y = 14$ _____   11) $20 + y = 34$ _____   12) $y - 21 = 6$ _____

13) $22 + y = 47$ _____   14) $y - 18 = 6$ _____   15) $12 + y = 14$ _____   16) $13 + y = 26$ _____

17) $14 + y = 37$ _____   18) $26 - y = 12$ _____   19) $19 - y = 4$ _____   20) $1 + y = 4$ _____

21) $13 - y = 12$ _____   22) $20 - y = -5$ _____   23) $18 + y = 34$ _____   24) $21 - y = -8$ _____

25) $y - 28 = -5$ _____   26) $y - 26 = -5$ _____   27) $22 + y = 37$ _____   28) $14 - y = 1$ _____

29) $28 - y = 6$ _____   30) $22 + y = 40$ _____   31) $y - 16 = -12$ _____   32) $y + 15 = 31$ _____

33) $23 - y = 20$ _____   34) $y - 25 = -19$ _____   35) $28 - y = 25$ _____   36) $3 + y = 13$ _____

37) $19 - y = 0$ _____   38) $y + 2 = 27$ _____   39) $y + 7 = 11$ _____   40) $y + 25 = 29$ _____

41) $12 - y = -6$ _____   42) $y + 29 = 51$ _____   43) $y + 13 = 23$ _____   44) $y + 28 = 44$ _____

45) $y - 13 = 10$ _____   46) $y + 28 = 58$ _____   47) $16 - y = 10$ _____   48) $y + 15 = 18$ _____

49) $19 + y = 49$ _____   50) $y + 29 = 53$ _____

KK) Solve for the variable.

1) $y + 19 = 39$ _____ 2) $19 - y = 8$ _____ 3) $y + 8 = 30$ _____ 4) $y - 21 = 6$ _____

5) $1 + y = 25$ _____ 6) $2 + y = 28$ _____ 7) $y + 20 = 28$ _____ 8) $26 - y = 25$ _____

9) $17 + y = 32$ _____ 10) $9 - y = -1$ _____ 11) $y - 29 = -11$ _____ 12) $y + 12 = 27$ _____

13) $21 + y = 31$ _____ 14) $y + 10 = 38$ _____ 15) $13 - y = -11$ _____ 16) $y + 15 = 17$ _____

17) $y - 5 = 0$ _____ 18) $13 - y = 3$ _____ 19) $23 + y = 33$ _____ 20) $y + 20 = 37$ _____

21) $y - 28 = -4$ _____ 22) $15 - y = -1$ _____ 23) $y + 19 = 23$ _____ 24) $24 + y = 31$ _____

25) $y - 5 = 23$ _____ 26) $29 - y = 21$ _____ 27) $28 + y = 54$ _____ 28) $y - 21 = 7$ _____

29) $5 + y = 12$ _____ 30) $y + 12 = 32$ _____ 31) $10 - y = -7$ _____ 32) $y - 7 = 2$ _____

33) $22 + y = 40$ _____ 34) $y - 4 = 18$ _____ 35) $7 - y = -10$ _____ 36) $8 + y = 15$ _____

37) $28 + y = 48$ _____ 38) $y - 20 = -3$ _____ 39) $y - 30 = -15$ _____ 40) $y + 3 = 12$ _____

41) $y - 22 = -5$ _____ 42) $y + 9 = 21$ _____ 43) $26 - y = 1$ _____ 44) $17 - y = 8$ _____

45) $y + 22 = 30$ _____ 46) $y - 16 = -10$ _____ 47) $21 + y = 26$ _____ 48) $y + 7 = 17$ _____

49) $y + 8 = 28$ _____ 50) $y - 17 = 7$ _____

LL) Solve for the variable.

1) $28 - y = 0$ _____   2) $22 - y = 7$ _____   3) $y + 3 = 19$ _____   4) $y - 10 = 4$ _____

5) $16 + y = 40$ _____   6) $y + 19 = 30$ _____   7) $6 - y = -19$ _____   8) $23 - y = 5$ _____

9) $y + 27 = 42$ _____   10) $9 - y = 2$ _____   11) $y - 25 = -18$ _____   12) $1 + y = 14$ _____

13) $10 - y = 9$ _____   14) $21 + y = 50$ _____   15) $y + 11 = 35$ _____   16) $19 + y = 26$ _____

17) $y - 5 = 6$ _____   18) $y + 21 = 26$ _____   19) $12 - y = 6$ _____   20) $y + 5 = 22$ _____

21) $y - 22 = -19$ _____   22) $19 - y = 5$ _____   23) $y - 19 = 2$ _____   24) $19 - y = 0$ _____

25) $10 + y = 14$ _____   26) $2 - y = -11$ _____   27) $11 + y = 15$ _____   28) $y - 26 = -13$ _____

29) $14 - y = 11$ _____   30) $y - 13 = 11$ _____   31) $y + 18 = 38$ _____   32) $1 - y = -29$ _____

33) $y + 29 = 59$ _____   34) $15 - y = -4$ _____   35) $y - 25 = -12$ _____   36) $16 - y = 12$ _____

37) $y - 2 = 19$ _____   38) $23 + y = 47$ _____   39) $8 + y = 26$ _____   40) $23 - y = 2$ _____

41) $y + 2 = 15$ _____   42) $19 - y = -1$ _____   43) $y - 7 = 3$ _____   44) $y - 7 = 20$ _____

45) $y + 10 = 32$ _____   46) $7 - y = -2$ _____   47) $y + 4 = 16$ _____   48) $y - 15 = 1$ _____

49) $22 + y = 41$ _____   50) $14 + y = 36$ _____

MM) Solve for the variable.

1) $y + 9 = 30$ _____

2) $12 + y = 17$ _____

3) $29 - y = 16$ _____

4) $11 - y = -19$ _____

5) $y + 21 = 44$ _____

6) $y + 16 = 32$ _____

7) $15 - y = -3$ _____

8) $y - 19 = 8$ _____

9) $30 - y = 27$ _____

10) $y - 21 = 0$ _____

11) $y - 3 = 10$ _____

12) $14 - y = 12$ _____

13) $29 + y = 33$ _____

14) $27 - y = -2$ _____

15) $26 - y = 11$ _____

16) $y + 11 = 17$ _____

17) $y - 9 = 18$ _____

18) $17 + y = 27$ _____

19) $y + 24 = 39$ _____

20) $16 + y = 41$ _____

21) $y + 21 = 48$ _____

22) $19 - y = 4$ _____

23) $y - 8 = 10$ _____

24) $17 - y = 6$ _____

25) $y - 13 = 1$ _____

26) $y - 7 = 17$ _____

27) $y - 26 = -11$ _____

28) $y - 18 = -11$ _____

29) $25 - y = 14$ _____

30) $y - 25 = -18$ _____

31) $16 + y = 28$ _____

32) $5 - y = -3$ _____

33) $15 - y = 10$ _____

34) $y - 7 = 13$ _____

35) $y + 18 = 19$ _____

36) $y + 6 = 11$ _____

37) $18 + y = 45$ _____

38) $y - 22 = 3$ _____

39) $y + 29 = 44$ _____

40) $y + 22 = 36$ _____

41) $18 - y = 1$ _____

42) $y + 14 = 29$ _____

43) $22 - y = -8$ _____

44) $y - 1 = 26$ _____

45) $y + 30 = 32$ _____

46) $15 - y = 11$ _____

47) $y - 22 = -5$ _____

48) $y + 15 = 24$ _____

49) $17 + y = 28$ _____

50) $30 + y = 43$ _____

NN) Solve for the variable.

1) $y - 2 = 46$ _____ 2) $29 + y = 37$ _____ 3) $14 + y = 59$ _____ 4) $y + 5 = 46$ _____

5) $27 - y = 9$ _____ 6) $y - 3 = 17$ _____ 7) $26 - y = -3$ _____ 8) $y + 13 = 62$ _____

9) $30 + y = 49$ _____ 10) $y - 22 = 28$ _____ 11) $y - 32 = -31$ _____ 12) $10 - y = 1$ _____

13) $y - 17 = 31$ _____ 14) $27 - y = 23$ _____ 15) $y - 10 = 18$ _____ 16) $y + 10 = 32$ _____

17) $44 + y = 46$ _____ 18) $11 - y = -5$ _____ 19) $y + 4 = 32$ _____ 20) $y - 1 = 41$ _____

21) $y - 50 = -40$ _____ 22) $25 + y = 47$ _____ 23) $23 + y = 40$ _____ 24) $y - 26 = 0$ _____

25) $36 + y = 70$ _____ 26) $40 + y = 78$ _____ 27) $35 - y = 12$ _____ 28) $27 + y = 43$ _____

29) $43 + y = 64$ _____ 30) $y + 48 = 58$ _____ 31) $y - 38 = -19$ _____ 32) $y + 18 = 46$ _____

33) $y + 10 = 57$ _____ 34) $y + 25 = 35$ _____ 35) $19 - y = -14$ _____ 36) $y + 27 = 62$ _____

37) $y + 49 = 77$ _____ 38) $y + 1 = 13$ _____ 39) $8 - y = -30$ _____ 40) $36 - y = 4$ _____

41) $y - 2 = 39$ _____ 42) $y + 44 = 63$ _____ 43) $y + 34 = 54$ _____ 44) $25 + y = 70$ _____

45) $24 - y = 16$ _____ 46) $y - 44 = 0$ _____ 47) $y + 23 = 56$ _____ 48) $23 + y = 30$ _____

49) $26 - y = 12$ _____ 50) $8 + y = 10$ _____

OO) Solve for the variable.

1) $36 - y = 32$ _____

2) $30 - y = 28$ _____

3) $y + 35 = 68$ _____

4) $22 + y = 72$ _____

5) $y - 35 = 2$ _____

6) $y - 3 = 46$ _____

7) $y + 13 = 58$ _____

8) $22 - y = -18$ _____

9) $17 - y = -11$ _____

10) $y - 21 = 5$ _____

11) $36 - y = 15$ _____

12) $y - 26 = -18$ _____

13) $y + 11 = 51$ _____

14) $y - 11 = 25$ _____

15) $9 - y = -35$ _____

16) $14 + y = 43$ _____

17) $y - 23 = 14$ _____

18) $y + 48 = 91$ _____

19) $y + 46 = 76$ _____

20) $1 + y = 4$ _____

21) $46 - y = 3$ _____

22) $y - 14 = 1$ _____

23) $37 + y = 82$ _____

24) $y + 16 = 55$ _____

25) $44 - y = 40$ _____

26) $38 + y = 79$ _____

27) $y - 3 = 13$ _____

28) $y + 15 = 57$ _____

29) $46 - y = 41$ _____

30) $12 + y = 35$ _____

31) $y + 12 = 62$ _____

32) $y + 43 = 84$ _____

33) $22 - y = 2$ _____

34) $16 + y = 39$ _____

35) $21 + y = 45$ _____

36) $y - 22 = -11$ _____

37) $27 - y = 4$ _____

38) $y + 43 = 68$ _____

39) $6 - y = -39$ _____

40) $39 + y = 85$ _____

41) $17 - y = 11$ _____

42) $7 + y = 31$ _____

43) $14 + y = 49$ _____

44) $y - 28 = 3$ _____

45) $3 - y = -23$ _____

46) $y + 29 = 63$ _____

47) $y - 35 = -31$ _____

48) $3 - y = -19$ _____

49) $y - 18 = 25$ _____

50) $29 + y = 46$ _____

PP) Solve for the variable.

1) $21 - y = -13$ _____   2) $5 + y = 53$ _____   3) $y - 28 = -22$ _____   4) $38 + y = 49$ _____

5) $y + 36 = 49$ _____   6) $10 - y = -8$ _____   7) $32 + y = 49$ _____   8) $34 + y = 41$ _____

9) $y - 4 = 7$ _____   10) $12 + y = 46$ _____   11) $y - 7 = 27$ _____   12) $y - 43 = -29$ _____

13) $27 - y = -12$ _____   14) $12 + y = 44$ _____   15) $y + 18 = 64$ _____   16) $y + 13 = 33$ _____

17) $19 - y = 4$ _____   18) $35 - y = 23$ _____   19) $5 + y = 13$ _____   20) $y + 48 = 84$ _____

21) $31 - y = 24$ _____   22) $y - 42 = -16$ _____   23) $31 - y = 23$ _____   24) $y + 39 = 64$ _____

25) $y - 11 = 21$ _____   26) $y - 2 = 41$ _____   27) $9 + y = 21$ _____   28) $y - 15 = -8$ _____

29) $y + 12 = 33$ _____   30) $y + 18 = 39$ _____   31) $17 - y = 10$ _____   32) $y + 46 = 62$ _____

33) $y + 47 = 63$ _____   34) $50 - y = 32$ _____   35) $32 + y = 54$ _____   36) $y - 3 = -1$ _____

37) $y - 14 = 4$ _____   38) $4 - y = -23$ _____   39) $31 + y = 54$ _____   40) $12 - y = -8$ _____

41) $14 + y = 38$ _____   42) $y + 35 = 85$ _____   43) $y + 19 = 44$ _____   44) $y - 8 = -4$ _____

45) $y - 21 = -12$ _____   46) $y + 43 = 85$ _____   47) $y + 19 = 57$ _____   48) $y - 25 = 6$ _____

49) $41 - y = 10$ _____   50) $26 - y = -9$ _____

QQ) Solve for the variable.

1) $y + 18 = 45$ _____
2) $30 + y = 36$ _____
3) $y + 7 = 25$ _____
4) $9 + y = 50$ _____

5) $47 - y = 32$ _____
6) $y - 24 = 23$ _____
7) $y - 10 = -2$ _____
8) $30 + y = 79$ _____

9) $1 - y = -6$ _____
10) $30 - y = 11$ _____
11) $11 - y = 2$ _____
12) $11 + y = 16$ _____

13) $45 - y = -3$ _____
14) $y + 34 = 81$ _____
15) $y + 28 = 54$ _____
16) $y + 2 = 4$ _____

17) $y + 29 = 31$ _____
18) $6 + y = 50$ _____
19) $y + 28 = 39$ _____
20) $y - 20 = 1$ _____

21) $33 + y = 83$ _____
22) $6 - y = -4$ _____
23) $y - 46 = -38$ _____
24) $y - 42 = -17$ _____

25) $7 + y = 51$ _____
26) $10 + y = 34$ _____
27) $y - 22 = 14$ _____
28) $30 - y = 12$ _____

29) $y - 26 = -18$ _____
30) $11 + y = 31$ _____
31) $y + 25 = 35$ _____
32) $15 - y = -5$ _____

33) $13 + y = 59$ _____
34) $23 + y = 52$ _____
35) $4 + y = 40$ _____
36) $38 - y = 15$ _____

37) $37 - y = 26$ _____
38) $y + 12 = 49$ _____
39) $y - 2 = 1$ _____
40) $y + 50 = 97$ _____

41) $y - 6 = 18$ _____
42) $28 + y = 60$ _____
43) $y + 28 = 46$ _____
44) $17 + y = 48$ _____

45) $50 - y = 12$ _____
46) $y + 36 = 73$ _____
47) $17 + y = 18$ _____
48) $y - 8 = 2$ _____

49) $35 - y = -2$ _____
50) $47 - y = 35$ _____

RR) Solve for the variable.

1) y + 17 = 49 _____   2) 17 - y = -7 _____   3) 36 - y = 19 _____   4) 36 - y = -6 _____

5) y + 30 = 69 _____   6) y - 23 = -5 _____   7) y + 34 = 67 _____   8) y - 18 = -14 _____

9) 24 + y = 65 _____   10) 26 - y = 3 _____   11) 19 - y = 16 _____   12) y - 43 = -40 _____

13) y - 43 = -29 _____   14) 39 + y = 67 _____   15) 13 - y = -4 _____   16) y + 23 = 24 _____

17) y - 13 = 12 _____   18) 19 - y = -12 _____   19) y + 28 = 36 _____   20) 44 + y = 85 _____

21) 43 + y = 45 _____   22) 26 + y = 40 _____   23) y + 42 = 90 _____   24) y + 15 = 22 _____

25) y + 28 = 52 _____   26) y - 33 = -21 _____   27) y + 35 = 45 _____   28) 9 + y = 39 _____

29) 15 - y = -9 _____   30) y + 44 = 54 _____   31) 29 - y = 21 _____   32) y - 22 = 7 _____

33) y + 45 = 75 _____   34) 49 + y = 69 _____   35) y + 23 = 38 _____   36) 11 + y = 57 _____

37) 47 - y = 12 _____   38) y - 18 = 13 _____   39) 28 - y = -12 _____   40) y - 23 = 22 _____

41) y - 24 = 13 _____   42) 4 - y = -32 _____   43) 5 - y = -13 _____   44) 13 + y = 54 _____

45) 5 - y = -34 _____   46) 17 + y = 51 _____   47) y - 50 = -31 _____   48) 12 + y = 47 _____

49) y + 4 = 27 _____   50) 34 + y = 38 _____

SS) Solve for the variable.

1) $y - 17 = 3$ _____

2) $y - 5 = 24$ _____

3) $y - 24 = 15$ _____

4) $11 + y = 52$ _____

5) $9 + y = 58$ _____

6) $14 - y = 5$ _____

7) $y - 20 = -12$ _____

8) $y + 35 = 38$ _____

9) $26 - y = -13$ _____

10) $y - 43 = -2$ _____

11) $23 - y = 5$ _____

12) $47 - y = 12$ _____

13) $y + 45 = 72$ _____

14) $12 - y = -32$ _____

15) $y - 44 = 3$ _____

16) $y - 26 = -6$ _____

17) $y - 18 = -13$ _____

18) $50 - y = 1$ _____

19) $y - 13 = 20$ _____

20) $29 - y = 3$ _____

21) $17 + y = 18$ _____

22) $44 - y = 39$ _____

23) $y + 9 = 33$ _____

24) $35 + y = 46$ _____

25) $y - 45 = -29$ _____

26) $2 + y = 28$ _____

27) $17 + y = 26$ _____

28) $y + 3 = 13$ _____

29) $20 - y = -25$ _____

30) $y - 44 = -16$ _____

31) $y - 17 = -4$ _____

32) $y + 16 = 61$ _____

33) $y - 38 = -9$ _____

34) $y - 41 = -36$ _____

35) $20 - y = 15$ _____

36) $3 + y = 17$ _____

37) $10 - y = -5$ _____

38) $y + 22 = 48$ _____

39) $y + 43 = 67$ _____

40) $11 + y = 29$ _____

41) $y - 2 = 9$ _____

42) $28 - y = 26$ _____

43) $42 + y = 86$ _____

44) $y - 46 = -36$ _____

45) $8 + y = 56$ _____

46) $30 + y = 68$ _____

47) $y - 36 = -1$ _____

48) $y + 1 = 15$ _____

49) $y + 29 = 36$ _____

50) $26 + y = 63$ _____

TT) Solve for the variable.

1) y - 11 = 9 _____   2) 12 - y = 10 _____   3) 30 + y = 74 _____   4) 34 - y = -4 _____

5) y - 33 = 16 _____   6) y - 15 = -3 _____   7) 25 - y = -14 _____   8) y + 41 = 68 _____

9) 10 - y = -2 _____   10) y + 33 = 80 _____   11) 36 + y = 53 _____   12) y + 22 = 33 _____

13) 35 - y = 31 _____   14) 33 - y = 14 _____   15) y + 33 = 76 _____   16) 43 - y = 18 _____

17) 21 + y = 51 _____   18) y - 15 = 17 _____   19) 34 - y = -15 _____   20) y + 2 = 7 _____

21) 42 - y = 25 _____   22) y - 31 = -11 _____   23) y - 3 = 5 _____   24) 18 - y = 14 _____

25) 19 - y = 13 _____   26) 48 + y = 80 _____   27) y - 26 = 16 _____   28) 15 + y = 19 _____

29) 50 + y = 90 _____   30) y + 26 = 43 _____   31) 12 + y = 27 _____   32) 45 - y = 29 _____

33) 41 - y = 4 _____   34) 45 + y = 91 _____   35) 8 - y = -4 _____   36) 8 + y = 20 _____

37) y + 45 = 53 _____   38) y - 19 = 22 _____   39) y - 31 = 16 _____   40) y - 33 = -19 _____

41) y - 30 = 6 _____   42) 1 - y = -37 _____   43) 36 - y = 25 _____   44) 33 - y = -13 _____

45) 15 - y = -13 _____   46) y + 44 = 60 _____   47) 32 - y = 3 _____   48) 41 - y = 14 _____

49) y + 5 = 28 _____   50) 41 - y = 20 _____

UU) Solve for the variable.

1) y - 46 = -21 _____
2) y + 38 = 86 _____
3) y + 34 = 73 _____
4) y + 46 = 78 _____

5) 44 - y = 15 _____
6) y + 17 = 37 _____
7) 46 + y = 60 _____
8) 10 - y = -24 _____

9) y + 23 = 55 _____
10) 23 + y = 72 _____
11) y + 7 = 31 _____
12) y - 25 = 10 _____

13) 15 + y = 23 _____
14) 9 - y = -21 _____
15) y - 39 = -34 _____
16) 35 - y = 14 _____

17) y + 22 = 27 _____
18) y + 21 = 44 _____
19) 30 - y = 26 _____
20) y - 34 = -13 _____

21) y - 31 = 13 _____
22) 4 + y = 46 _____
23) y - 35 = -34 _____
24) y + 14 = 31 _____

25) y + 17 = 48 _____
26) y + 5 = 42 _____
27) 47 - y = 40 _____
28) y + 18 = 23 _____

29) 12 - y = -11 _____
30) 23 - y = -9 _____
31) y - 2 = 23 _____
32) 42 + y = 47 _____

33) 44 - y = -6 _____
34) y + 24 = 37 _____
35) y - 40 = 2 _____
36) y - 28 = -24 _____

37) 3 + y = 43 _____
38) 6 - y = -37 _____
39) y - 43 = -40 _____
40) y - 31 = -7 _____

41) y + 45 = 87 _____
42) y + 38 = 87 _____
43) 3 + y = 34 _____
44) 24 - y = -24 _____

45) 18 - y = 13 _____
46) y - 8 = 1 _____
47) 32 + y = 72 _____
48) y - 43 = -34 _____

49) y + 50 = 89 _____
50) 48 + y = 50 _____

VV) Solve for the variable.

1) $48 - y = 45$ _____

2) $19 + y = 31$ _____

3) $16 - y = -10$ _____

4) $y + 39 = 62$ _____

5) $y - 31 = -20$ _____

6) $y + 18 = 30$ _____

7) $33 + y = 78$ _____

8) $y + 49 = 60$ _____

9) $y + 26 = 56$ _____

10) $y + 42 = 59$ _____

11) $39 - y = 8$ _____

12) $y - 49 = -8$ _____

13) $y + 34 = 74$ _____

14) $y - 23 = -12$ _____

15) $y + 22 = 69$ _____

16) $y + 43 = 62$ _____

17) $12 - y = -13$ _____

18) $19 - y = -25$ _____

19) $y + 28 = 55$ _____

20) $14 - y = -17$ _____

21) $37 - y = 12$ _____

22) $y - 18 = -12$ _____

23) $y - 40 = 1$ _____

24) $33 - y = 14$ _____

25) $y + 6 = 36$ _____

26) $1 + y = 43$ _____

27) $34 - y = 26$ _____

28) $y + 18 = 28$ _____

29) $y - 20 = -8$ _____

30) $y - 33 = -10$ _____

31) $16 - y = -34$ _____

32) $43 - y = 4$ _____

33) $6 - y = -2$ _____

34) $27 + y = 44$ _____

35) $y + 3 = 26$ _____

36) $y + 36 = 48$ _____

37) $y - 15 = -10$ _____

38) $y - 23 = 3$ _____

39) $9 - y = -41$ _____

40) $y + 43 = 44$ _____

41) $y + 42 = 85$ _____

42) $y - 28 = -6$ _____

43) $y - 4 = 5$ _____

44) $16 - y = 15$ _____

45) $y + 7 = 40$ _____

46) $5 + y = 37$ _____

47) $y - 38 = -22$ _____

48) $32 - y = 14$ _____

49) $7 - y = -14$ _____

50) $35 - y = 9$ _____

WW) Solve for the variable.

1) $y - 38 = 6$ _____

2) $40 + y = 66$ _____

3) $17 + y = 28$ _____

4) $y - 44 = -33$ _____

5) $y + 20 = 40$ _____

6) $y + 47 = 49$ _____

7) $y + 35 = 64$ _____

8) $y + 1 = 4$ _____

9) $y + 17 = 44$ _____

10) $y + 26 = 38$ _____

11) $31 + y = 43$ _____

12) $10 - y = -22$ _____

13) $y - 14 = -4$ _____

14) $y - 27 = 15$ _____

15) $44 - y = 31$ _____

16) $26 - y = 23$ _____

17) $3 - y = -2$ _____

18) $y + 21 = 56$ _____

19) $38 + y = 84$ _____

20) $y + 46 = 87$ _____

21) $11 + y = 35$ _____

22) $y + 30 = 46$ _____

23) $y - 7 = 42$ _____

24) $39 - y = 2$ _____

25) $y + 48 = 91$ _____

26) $12 - y = -37$ _____

27) $y + 37 = 83$ _____

28) $y - 33 = 15$ _____

29) $28 + y = 36$ _____

30) $16 + y = 19$ _____

31) $y + 35 = 55$ _____

32) $50 + y = 58$ _____

33) $y - 49 = -5$ _____

34) $y + 25 = 69$ _____

35) $y + 32 = 33$ _____

36) $y - 32 = -18$ _____

37) $y - 16 = 10$ _____

38) $15 + y = 23$ _____

39) $46 - y = 16$ _____

40) $y + 4 = 37$ _____

41) $y + 6 = 32$ _____

42) $y - 47 = -12$ _____

43) $y - 28 = -27$ _____

44) $7 - y = -10$ _____

45) $7 - y = 4$ _____

46) $43 - y = 13$ _____

47) $y - 38 = -8$ _____

48) $y + 27 = 54$ _____

49) $y + 9 = 33$ _____

50) $36 + y = 37$ _____

XX) Solve for the variable.

1) $7 + y = 47$ _____

2) $y + 21 = 25$ _____

3) $6 + y = 55$ _____

4) $36 - y = 2$ _____

5) $26 - y = -13$ _____

6) $46 - y = 10$ _____

7) $50 + y = 68$ _____

8) $y + 35 = 68$ _____

9) $48 - y = 25$ _____

10) $y - 16 = -12$ _____

11) $y - 11 = 20$ _____

12) $y - 27 = -14$ _____

13) $y + 39 = 57$ _____

14) $20 - y = 9$ _____

15) $34 - y = -10$ _____

16) $y + 29 = 70$ _____

17) $y + 49 = 64$ _____

18) $23 - y = -24$ _____

19) $y - 7 = 20$ _____

20) $y + 48 = 81$ _____

21) $39 - y = 2$ _____

22) $17 + y = 67$ _____

23) $y - 6 = 39$ _____

24) $10 - y = -33$ _____

25) $y - 31 = -5$ _____

26) $y + 47 = 73$ _____

27) $y + 15 = 38$ _____

28) $32 - y = -14$ _____

29) $y + 28 = 56$ _____

30) $3 + y = 21$ _____

31) $29 + y = 54$ _____

32) $50 + y = 82$ _____

33) $48 + y = 65$ _____

34) $21 - y = 19$ _____

35) $46 - y = 9$ _____

36) $y - 41 = -33$ _____

37) $y - 6 = 35$ _____

38) $28 - y = -16$ _____

39) $45 - y = 31$ _____

40) $32 - y = 20$ _____

41) $29 - y = 1$ _____

42) $y + 3 = 39$ _____

43) $y + 44 = 63$ _____

44) $y + 1 = 8$ _____

45) $y - 28 = -11$ _____

46) $y - 50 = -31$ _____

47) $y - 14 = 6$ _____

48) $38 + y = 73$ _____

49) $2 + y = 31$ _____

50) $y - 9 = 27$ _____

A) Solve for the variable.

1) $y - 7 = -3$ $y = 4$ 2) $5 + y = 7$ $y = 2$ 3) $y - 3 = 2$ $y = 5$ 4) $2 - y = -5$ $y = 7$

5) $y - 6 = -3$ $y = 3$ 6) $y - 9 = 0$ $y = 9$ 7) $1 - y = 0$ $y = 1$ 8) $1 + y = 4$ $y = 3$

9) $y - 6 = -4$ $y = 2$ 10) $7 + y = 15$ $y = 8$ 11) $8 + y = 15$ $y = 7$ 12) $3 + y = 8$ $y = 5$

13) $3 + y = 10$ $y = 7$ 14) $y - 5 = -4$ $y = 1$ 15) $7 - y = 2$ $y = 5$ 16) $y + 3 = 8$ $y = 5$

17) $1 + y = 8$ $y = 7$ 18) $y + 3 = 10$ $y = 7$ 19) $y + 5 = 10$ $y = 5$ 20) $9 - y = 2$ $y = 7$

21) $y + 4 = 8$ $y = 4$ 22) $y + 7 = 12$ $y = 5$ 23) $y - 2 = 1$ $y = 3$ 24) $8 + y = 14$ $y = 6$

25) $9 + y = 15$ $y = 6$ 26) $3 + y = 4$ $y = 1$ 27) $y - 6 = -5$ $y = 1$ 28) $5 - y = 4$ $y = 1$

29) $1 + y = 9$ $y = 8$ 30) $y - 7 = -6$ $y = 1$ 31) $y - 3 = 6$ $y = 9$ 32) $y - 4 = -3$ $y = 1$

33) $y - 9 = -3$ $y = 6$ 34) $2 - y = -1$ $y = 3$ 35) $9 + y = 10$ $y = 1$ 36) $y + 8 = 12$ $y = 4$

37) $y - 5 = 4$ $y = 9$ 38) $7 + y = 8$ $y = 1$ 39) $5 - y = -3$ $y = 8$ 40) $9 + y = 18$ $y = 9$

41) $7 + y = 11$ $y = 4$ 42) $y - 8 = -4$ $y = 4$ 43) $y + 3 = 6$ $y = 3$ 44) $7 - y = 1$ $y = 6$

45) $3 - y = -5$ $y = 8$ 46) $y + 1 = 9$ $y = 8$ 47) $y + 4 = 6$ $y = 2$ 48) $y + 1 = 2$ $y = 1$

49) $2 - y = -7$ $y = 9$ 50) $1 - y = -2$ $y = 3$

1

B) Solve for the variable.

1) $y - 8 = 0$ $y = 8$

2) $y + 9 = 11$ $y = 2$

3) $5 - y = -3$ $y = 8$

4) $3 + y = 8$ $y = 5$

5) $y + 2 = 7$ $y = 5$

6) $y - 6 = -4$ $y = 2$

7) $y + 9 = 15$ $y = 6$

8) $y + 3 = 4$ $y = 1$

9) $7 + y = 9$ $y = 2$

10) $y + 7 = 11$ $y = 4$

11) $2 - y = -2$ $y = 4$

12) $1 - y = -6$ $y = 7$

13) $6 + y = 8$ $y = 2$

14) $y + 5 = 12$ $y = 7$

15) $y + 7 = 13$ $y = 6$

16) $y - 2 = 3$ $y = 5$

17) $4 + y = 10$ $y = 6$

18) $7 - y = 5$ $y = 2$

19) $y - 2 = 2$ $y = 4$

20) $9 - y = 1$ $y = 8$

21) $y - 7 = -4$ $y = 3$

22) $8 + y = 14$ $y = 6$

23) $4 - y = -2$ $y = 6$

24) $y - 7 = 0$ $y = 7$

25) $y + 4 = 7$ $y = 3$

26) $6 - y = 3$ $y = 3$

27) $y + 3 = 8$ $y = 5$

28) $y - 4 = 3$ $y = 7$

29) $7 + y = 11$ $y = 4$

30) $4 + y = 8$ $y = 4$

31) $8 - y = 1$ $y = 7$

32) $3 + y = 12$ $y = 9$

33) $y + 6 = 8$ $y = 2$

34) $y - 5 = -1$ $y = 4$

35) $6 + y = 10$ $y = 4$

36) $4 + y = 5$ $y = 1$

37) $y + 3 = 6$ $y = 3$

38) $y - 3 = -2$ $y = 1$

39) $6 - y = 4$ $y = 2$

40) $9 + y = 12$ $y = 3$

41) $y + 5 = 13$ $y = 8$

42) $y - 2 = 7$ $y = 9$

43) $1 + y = 5$ $y = 4$

44) $y - 8 = -5$ $y = 3$

45) $5 + y = 6$ $y = 1$

46) $y - 9 = -8$ $y = 1$

47) $y - 3 = 5$ $y = 8$

48) $9 - y = 6$ $y = 3$

49) $9 - y = 8$ $y = 1$

50) $5 - y = -1$ $y = 6$

2

C) Solve for the variable.

1) $9 - y = 1$ $y = 8$ 2) $4 + y = 8$ $y = 4$ 3) $6 + y = 13$ $y = 7$ 4) $y - 5 = -1$ $y = 4$

5) $y + 8 = 16$ $y = 8$ 6) $1 + y = 10$ $y = 9$ 7) $y + 7 = 10$ $y = 3$ 8) $8 + y = 13$ $y = 5$

9) $5 - y = -4$ $y = 9$ 10) $9 - y = 8$ $y = 1$ 11) $y + 7 = 12$ $y = 5$ 12) $7 + y = 15$ $y = 8$

13) $y - 7 = -6$ $y = 1$ 14) $4 + y = 13$ $y = 9$ 15) $y - 4 = 5$ $y = 9$ 16) $3 - y = 0$ $y = 3$

17) $8 - y = 3$ $y = 5$ 18) $y + 1 = 3$ $y = 2$ 19) $y + 6 = 9$ $y = 3$ 20) $7 + y = 16$ $y = 9$

21) $y + 9 = 17$ $y = 8$ 22) $y + 6 = 10$ $y = 4$ 23) $y + 6 = 8$ $y = 2$ 24) $y + 2 = 7$ $y = 5$

25) $y - 3 = 1$ $y = 4$ 26) $y - 6 = -4$ $y = 2$ 27) $4 + y = 12$ $y = 8$ 28) $y + 5 = 11$ $y = 6$

29) $y - 7 = -2$ $y = 5$ 30) $y + 7 = 9$ $y = 2$ 31) $6 - y = -2$ $y = 8$ 32) $3 + y = 12$ $y = 9$

33) $y + 2 = 5$ $y = 3$ 34) $y - 5 = 1$ $y = 6$ 35) $7 + y = 11$ $y = 4$ 36) $y + 3 = 8$ $y = 5$

37) $y - 6 = 2$ $y = 8$ 38) $y - 8 = -7$ $y = 1$ 39) $y - 9 = -6$ $y = 3$ 40) $y + 4 = 9$ $y = 5$

41) $1 + y = 5$ $y = 4$ 42) $y - 6 = -2$ $y = 4$ 43) $4 + y = 9$ $y = 5$ 44) $y - 4 = -3$ $y = 1$

45) $y + 8 = 9$ $y = 1$ 46) $9 - y = 0$ $y = 9$ 47) $y + 4 = 12$ $y = 8$ 48) $y - 5 = 0$ $y = 5$

49) $y - 5 = 4$ $y = 9$ 50) $7 - y = 0$ $y = 7$

3

D) Solve for the variable.

1) $y + 2 = 5$ $y = 3$ 2) $6 + y = 7$ $y = 1$ 3) $y - 1 = 0$ $y = 1$ 4) $y + 6 = 12$ $y = 6$

5) $y - 4 = -2$ $y = 2$ 6) $8 - y = 1$ $y = 7$ 7) $7 + y = 11$ $y = 4$ 8) $y - 3 = 3$ $y = 6$

9) $y - 5 = 0$ $y = 5$ 10) $y + 1 = 4$ $y = 3$ 11) $3 - y = 2$ $y = 1$ 12) $y - 4 = 1$ $y = 5$

13) $3 - y = -6$ $y = 9$ 14) $y + 1 = 5$ $y = 4$ 15) $y - 8 = -2$ $y = 6$ 16) $y - 4 = -1$ $y = 3$

17) $y - 1 = 5$ $y = 6$ 18) $y - 3 = 4$ $y = 7$ 19) $y - 7 = 2$ $y = 9$ 20) $y + 8 = 12$ $y = 4$

21) $y + 5 = 9$ $y = 4$ 22) $1 - y = -1$ $y = 2$ 23) $y + 9 = 13$ $y = 4$ 24) $6 - y = 2$ $y = 4$

25) $4 - y = 0$ $y = 4$ 26) $y + 3 = 6$ $y = 3$ 27) $y + 3 = 10$ $y = 7$ 28) $y + 1 = 8$ $y = 7$

29) $1 + y = 4$ $y = 3$ 30) $2 - y = -3$ $y = 5$ 31) $y - 7 = -6$ $y = 1$ 32) $2 + y = 7$ $y = 5$

33) $4 - y = -3$ $y = 7$ 34) $y - 9 = -3$ $y = 6$ 35) $4 - y = 2$ $y = 2$ 36) $y - 6 = 1$ $y = 7$

37) $y + 8 = 11$ $y = 3$ 38) $y - 3 = 6$ $y = 9$ 39) $8 - y = 4$ $y = 4$ 40) $6 - y = -1$ $y = 7$

41) $2 - y = 1$ $y = 1$ 42) $y + 6 = 10$ $y = 4$ 43) $2 + y = 8$ $y = 6$ 44) $4 - y = 3$ $y = 1$

45) $y + 8 = 14$ $y = 6$ 46) $y + 9 = 12$ $y = 3$ 47) $9 - y = 4$ $y = 5$ 48) $7 + y = 14$ $y = 7$

49) $y - 6 = 3$ $y = 9$ 50) $4 + y = 7$ $y = 3$

4

E) Solve for the variable.

1) $5 + y = 13$ $\underline{y = 8}$ 2) $9 - y = 4$ $\underline{y = 5}$ 3) $y + 9 = 15$ $\underline{y = 6}$ 4) $y - 1 = 1$ $\underline{y = 2}$

5) $3 - y = -2$ $\underline{y = 5}$ 6) $6 + y = 7$ $\underline{y = 1}$ 7) $5 + y = 9$ $\underline{y = 4}$ 8) $y + 7 = 13$ $\underline{y = 6}$

9) $6 + y = 14$ $\underline{y = 8}$ 10) $9 + y = 16$ $\underline{y = 7}$ 11) $y - 7 = 1$ $\underline{y = 8}$ 12) $8 - y = 5$ $\underline{y = 3}$

13) $6 - y = -1$ $\underline{y = 7}$ 14) $y - 5 = 2$ $\underline{y = 7}$ 15) $1 + y = 10$ $\underline{y = 9}$ 16) $4 + y = 5$ $\underline{y = 1}$

17) $y - 8 = -3$ $\underline{y = 5}$ 18) $3 + y = 12$ $\underline{y = 9}$ 19) $6 - y = 2$ $\underline{y = 4}$ 20) $y + 2 = 7$ $\underline{y = 5}$

21) $5 - y = 3$ $\underline{y = 2}$ 22) $4 + y = 9$ $\underline{y = 5}$ 23) $1 + y = 6$ $\underline{y = 5}$ 24) $4 - y = 1$ $\underline{y = 3}$

25) $y + 3 = 4$ $\underline{y = 1}$ 26) $y - 3 = 3$ $\underline{y = 6}$ 27) $3 - y = -1$ $\underline{y = 4}$ 28) $4 + y = 12$ $\underline{y = 8}$

29) $4 + y = 11$ $\underline{y = 7}$ 30) $y - 4 = 1$ $\underline{y = 5}$ 31) $y + 7 = 9$ $\underline{y = 2}$ 32) $7 + y = 13$ $\underline{y = 6}$

33) $y - 5 = -3$ $\underline{y = 2}$ 34) $3 - y = -3$ $\underline{y = 6}$ 35) $2 - y = -5$ $\underline{y = 7}$ 36) $4 - y = -5$ $\underline{y = 9}$

37) $4 + y = 6$ $\underline{y = 2}$ 38) $4 - y = -2$ $\underline{y = 6}$ 39) $3 + y = 6$ $\underline{y = 3}$ 40) $y + 1 = 4$ $\underline{y = 3}$

41) $y + 3 = 9$ $\underline{y = 6}$ 42) $y - 7 = -6$ $\underline{y = 1}$ 43) $y + 8 = 16$ $\underline{y = 8}$ 44) $y + 9 = 11$ $\underline{y = 2}$

45) $y - 8 = 0$ $\underline{y = 8}$ 46) $2 + y = 3$ $\underline{y = 1}$ 47) $y - 8 = -7$ $\underline{y = 1}$ 48) $y + 4 = 12$ $\underline{y = 8}$

49) $y + 2 = 3$ $\underline{y = 1}$ 50) $2 + y = 7$ $\underline{y = 5}$

F) Solve for the variable.

1) $y + 4 = 8$ $y = 4$ 2) $2 - y = -7$ $y = 9$ 3) $7 - y = 2$ $y = 5$ 4) $y - 2 = 3$ $y = 5$

5) $y + 3 = 9$ $y = 6$ 6) $9 + y = 17$ $y = 8$ 7) $y - 9 = -5$ $y = 4$ 8) $3 - y = -5$ $y = 8$

9) $y - 2 = 7$ $y = 9$ 10) $6 + y = 7$ $y = 1$ 11) $y - 6 = 1$ $y = 7$ 12) $y - 5 = -4$ $y = 1$

13) $4 + y = 6$ $y = 2$ 14) $y + 2 = 7$ $y = 5$ 15) $7 + y = 13$ $y = 6$ 16) $4 + y = 9$ $y = 5$

17) $y - 9 = -8$ $y = 1$ 18) $5 + y = 11$ $y = 6$ 19) $y - 1 = 6$ $y = 7$ 20) $8 - y = 1$ $y = 7$

21) $6 + y = 12$ $y = 6$ 22) $8 + y = 9$ $y = 1$ 23) $8 + y = 13$ $y = 5$ 24) $2 + y = 5$ $y = 3$

25) $6 + y = 15$ $y = 9$ 26) $5 - y = 2$ $y = 3$ 27) $7 + y = 12$ $y = 5$ 28) $8 + y = 11$ $y = 3$

29) $2 + y = 6$ $y = 4$ 30) $y - 3 = 3$ $y = 6$ 31) $y - 8 = -3$ $y = 5$ 32) $4 + y = 7$ $y = 3$

33) $4 + y = 12$ $y = 8$ 34) $4 + y = 5$ $y = 1$ 35) $6 + y = 14$ $y = 8$ 36) $y - 3 = 6$ $y = 9$

37) $5 - y = -2$ $y = 7$ 38) $y + 4 = 7$ $y = 3$ 39) $9 - y = 2$ $y = 7$ 40) $3 - y = -6$ $y = 9$

41) $8 - y = 3$ $y = 5$ 42) $y + 2 = 3$ $y = 1$ 43) $y - 6 = -5$ $y = 1$ 44) $y - 9 = -4$ $y = 5$

45) $y + 4 = 13$ $y = 9$ 46) $5 + y = 12$ $y = 7$ 47) $y + 6 = 14$ $y = 8$ 48) $y + 8 = 15$ $y = 7$

49) $y + 4 = 5$ $y = 1$ 50) $y + 1 = 6$ $y = 5$

G) Solve for the variable.

1) $2 + y = 7$ $\underline{y = 5}$
2) $6 + y = 7$ $\underline{y = 1}$
3) $3 + y = 9$ $\underline{y = 6}$
4) $y - 3 = -2$ $\underline{y = 1}$

5) $y - 8 = -2$ $\underline{y = 6}$
6) $y + 1 = 5$ $\underline{y = 4}$
7) $y - 4 = 4$ $\underline{y = 8}$
8) $y - 1 = 8$ $\underline{y = 9}$

9) $y - 6 = 1$ $\underline{y = 7}$
10) $y - 1 = 6$ $\underline{y = 7}$
11) $y + 4 = 6$ $\underline{y = 2}$
12) $3 + y = 5$ $\underline{y = 2}$

13) $6 + y = 14$ $\underline{y = 8}$
14) $7 - y = 2$ $\underline{y = 5}$
15) $5 - y = 1$ $\underline{y = 4}$
16) $8 + y = 14$ $\underline{y = 6}$

17) $y - 1 = 3$ $\underline{y = 4}$
18) $y - 8 = -5$ $\underline{y = 3}$
19) $y + 5 = 11$ $\underline{y = 6}$
20) $y + 3 = 12$ $\underline{y = 9}$

21) $y + 2 = 7$ $\underline{y = 5}$
22) $y + 4 = 11$ $\underline{y = 7}$
23) $6 + y = 15$ $\underline{y = 9}$
24) $y - 9 = -7$ $\underline{y = 2}$

25) $6 - y = 5$ $\underline{y = 1}$
26) $5 + y = 13$ $\underline{y = 8}$
27) $3 - y = -2$ $\underline{y = 5}$
28) $y + 5 = 10$ $\underline{y = 5}$

29) $y - 6 = 3$ $\underline{y = 9}$
30) $8 - y = 6$ $\underline{y = 2}$
31) $y - 8 = -7$ $\underline{y = 1}$
32) $7 - y = -1$ $\underline{y = 8}$

33) $7 - y = -2$ $\underline{y = 9}$
34) $8 - y = -1$ $\underline{y = 9}$
35) $y + 9 = 10$ $\underline{y = 1}$
36) $5 - y = 2$ $\underline{y = 3}$

37) $3 + y = 11$ $\underline{y = 8}$
38) $y + 5 = 8$ $\underline{y = 3}$
39) $y + 8 = 15$ $\underline{y = 7}$
40) $y + 5 = 6$ $\underline{y = 1}$

41) $y - 2 = 2$ $\underline{y = 4}$
42) $y - 7 = -1$ $\underline{y = 6}$
43) $y - 3 = 0$ $\underline{y = 3}$
44) $y + 7 = 8$ $\underline{y = 1}$

45) $y + 3 = 5$ $\underline{y = 2}$
46) $y - 3 = 4$ $\underline{y = 7}$
47) $8 + y = 10$ $\underline{y = 2}$
48) $y - 2 = 7$ $\underline{y = 9}$

49) $3 - y = 1$ $\underline{y = 2}$
50) $y - 2 = 3$ $\underline{y = 5}$

H) Solve for the variable.

1) $y - 8 = -6$ $\underline{y = 2}$ 2) $5 - y = -3$ $\underline{y = 8}$ 3) $9 + y = 13$ $\underline{y = 4}$ 4) $1 + y = 7$ $\underline{y = 6}$

5) $y + 3 = 10$ $\underline{y = 7}$ 6) $y + 7 = 9$ $\underline{y = 2}$ 7) $y - 3 = 6$ $\underline{y = 9}$ 8) $y + 4 = 9$ $\underline{y = 5}$

9) $6 + y = 15$ $\underline{y = 9}$ 10) $y - 6 = -2$ $\underline{y = 4}$ 11) $y - 9 = -6$ $\underline{y = 3}$ 12) $9 + y = 16$ $\underline{y = 7}$

13) $y - 6 = 3$ $\underline{y = 9}$ 14) $3 + y = 5$ $\underline{y = 2}$ 15) $y + 3 = 7$ $\underline{y = 4}$ 16) $1 - y = 0$ $\underline{y = 1}$

17) $9 - y = 1$ $\underline{y = 8}$ 18) $3 - y = 2$ $\underline{y = 1}$ 19) $5 - y = 2$ $\underline{y = 3}$ 20) $5 + y = 12$ $\underline{y = 7}$

21) $5 - y = -4$ $\underline{y = 9}$ 22) $y + 1 = 3$ $\underline{y = 2}$ 23) $3 - y = 0$ $\underline{y = 3}$ 24) $y + 7 = 8$ $\underline{y = 1}$

25) $6 - y = 5$ $\underline{y = 1}$ 26) $2 + y = 4$ $\underline{y = 2}$ 27) $y + 8 = 17$ $\underline{y = 9}$ 28) $8 + y = 11$ $\underline{y = 3}$

29) $y - 9 = -7$ $\underline{y = 2}$ 30) $y - 4 = -1$ $\underline{y = 3}$ 31) $7 - y = 6$ $\underline{y = 1}$ 32) $9 - y = 4$ $\underline{y = 5}$

33) $y + 6 = 11$ $\underline{y = 5}$ 34) $y - 3 = -1$ $\underline{y = 2}$ 35) $y + 9 = 14$ $\underline{y = 5}$ 36) $9 + y = 11$ $\underline{y = 2}$

37) $2 + y = 5$ $\underline{y = 3}$ 38) $1 - y = -6$ $\underline{y = 7}$ 39) $y + 2 = 7$ $\underline{y = 5}$ 40) $y - 6 = 0$ $\underline{y = 6}$

41) $7 + y = 15$ $\underline{y = 8}$ 42) $y - 1 = 3$ $\underline{y = 4}$ 43) $4 - y = 0$ $\underline{y = 4}$ 44) $6 + y = 13$ $\underline{y = 7}$

45) $4 + y = 12$ $\underline{y = 8}$ 46) $3 + y = 12$ $\underline{y = 9}$ 47) $8 + y = 16$ $\underline{y = 8}$ 48) $y + 8 = 11$ $\underline{y = 3}$

49) $2 + y = 7$ $\underline{y = 5}$ 50) $9 + y = 10$ $\underline{y = 1}$

I) Solve for the variable.

1) $2 + y = 10$ $y = 8$ 2) $3 + y = 11$ $y = 8$ 3) $y - 5 = 1$ $y = 6$ 4) $y - 4 = 2$ $y = 6$

5) $y - 6 = -1$ $y = 5$ 6) $9 + y = 12$ $y = 3$ 7) $y + 5 = 9$ $y = 4$ 8) $3 + y = 8$ $y = 5$

9) $7 + y = 15$ $y = 8$ 10) $8 - y = 5$ $y = 3$ 11) $y + 9 = 10$ $y = 1$ 12) $3 - y = -2$ $y = 5$

13) $y + 4 = 6$ $y = 2$ 14) $2 - y = -3$ $y = 5$ 15) $2 + y = 8$ $y = 6$ 16) $1 + y = 7$ $y = 6$

17) $8 + y = 16$ $y = 8$ 18) $y - 3 = 1$ $y = 4$ 19) $y - 5 = 3$ $y = 8$ 20) $7 - y = 6$ $y = 1$

21) $y + 5 = 6$ $y = 1$ 22) $y + 7 = 10$ $y = 3$ 23) $y + 3 = 10$ $y = 7$ 24) $y + 7 = 14$ $y = 7$

25) $4 - y = -1$ $y = 5$ 26) $6 - y = 3$ $y = 3$ 27) $6 - y = -2$ $y = 8$ 28) $6 - y = 4$ $y = 2$

29) $y - 4 = 3$ $y = 7$ 30) $y + 1 = 3$ $y = 2$ 31) $4 + y = 7$ $y = 3$ 32) $7 + y = 11$ $y = 4$

33) $y + 4 = 5$ $y = 1$ 34) $y - 3 = 6$ $y = 9$ 35) $y + 1 = 7$ $y = 6$ 36) $y - 8 = 0$ $y = 8$

37) $y - 8 = -3$ $y = 5$ 38) $5 + y = 14$ $y = 9$ 39) $y + 5 = 12$ $y = 7$ 40) $3 - y = -3$ $y = 6$

41) $9 + y = 14$ $y = 5$ 42) $3 + y = 9$ $y = 6$ 43) $y - 7 = -1$ $y = 6$ 44) $8 - y = 7$ $y = 1$

45) $1 - y = -6$ $y = 7$ 46) $y - 3 = -2$ $y = 1$ 47) $7 + y = 8$ $y = 1$ 48) $y + 6 = 14$ $y = 8$

49) $5 - y = -2$ $y = 7$ 50) $3 - y = -4$ $y = 7$

J) Solve for the variable.

1) $y + 9 = 15$ $y = 6$　2) $8 + y = 14$ $y = 6$　3) $y - 5 = -2$ $y = 3$　4) $y - 6 = -3$ $y = 3$

5) $y - 8 = -6$ $y = 2$　6) $8 - y = 1$ $y = 7$　7) $y - 4 = 5$ $y = 9$　8) $5 - y = -2$ $y = 7$

9) $8 + y = 9$ $y = 1$　10) $y + 3 = 6$ $y = 3$　11) $8 - y = 6$ $y = 2$　12) $9 + y = 11$ $y = 2$

13) $y + 7 = 15$ $y = 8$　14) $y - 7 = 0$ $y = 7$　15) $2 + y = 5$ $y = 3$　16) $y + 2 = 4$ $y = 2$

17) $y - 8 = -3$ $y = 5$　18) $y - 7 = -1$ $y = 6$　19) $y + 3 = 7$ $y = 4$　20) $y + 5 = 13$ $y = 8$

21) $1 - y = -5$ $y = 6$　22) $3 + y = 7$ $y = 4$　23) $y - 7 = -5$ $y = 2$　24) $1 + y = 4$ $y = 3$

25) $y + 9 = 14$ $y = 5$　26) $y - 4 = -2$ $y = 2$　27) $9 - y = 2$ $y = 7$　28) $7 + y = 12$ $y = 5$

29) $7 - y = 2$ $y = 5$　30) $y + 9 = 13$ $y = 4$　31) $7 + y = 13$ $y = 6$　32) $y - 2 = 0$ $y = 2$

33) $8 - y = 0$ $y = 8$　34) $y + 5 = 8$ $y = 3$　35) $3 - y = -5$ $y = 8$　36) $y - 3 = -2$ $y = 1$

37) $y + 4 = 8$ $y = 4$　38) $y + 5 = 11$ $y = 6$　39) $y - 6 = 1$ $y = 7$　40) $6 - y = 4$ $y = 2$

41) $y - 3 = 2$ $y = 5$　42) $y - 1 = 1$ $y = 2$　43) $4 - y = 2$ $y = 2$　44) $6 + y = 10$ $y = 4$

45) $y - 6 = -2$ $y = 4$　46) $8 - y = -1$ $y = 9$　47) $y - 4 = -3$ $y = 1$　48) $9 - y = 0$ $y = 9$

49) $y + 8 = 16$ $y = 8$　50) $y + 5 = 14$ $y = 9$

K) Solve for the variable.

1) $y - 3 = 6$ $y = 9$ 2) $y - 4 = 4$ $y = 8$ 3) $5 - y = -1$ $y = 6$ 4) $7 - y = 5$ $y = 2$

5) $5 + y = 8$ $y = 3$ 6) $6 + y = 9$ $y = 3$ 7) $9 - y = 4$ $y = 5$ 8) $2 + y = 7$ $y = 5$

9) $7 + y = 12$ $y = 5$ 10) $9 - y = 8$ $y = 1$ 11) $y - 5 = 0$ $y = 5$ 12) $y + 8 = 14$ $y = 6$

13) $8 + y = 11$ $y = 3$ 14) $2 - y = -2$ $y = 4$ 15) $y - 6 = 0$ $y = 6$ 16) $4 - y = -4$ $y = 8$

17) $y - 8 = -5$ $y = 3$ 18) $8 - y = 7$ $y = 1$ 19) $5 + y = 11$ $y = 6$ 20) $9 + y = 12$ $y = 3$

21) $2 - y = 1$ $y = 1$ 22) $8 - y = 6$ $y = 2$ 23) $7 + y = 14$ $y = 7$ 24) $1 + y = 10$ $y = 9$

25) $y - 3 = 5$ $y = 8$ 26) $y + 6 = 13$ $y = 7$ 27) $y + 4 = 11$ $y = 7$ 28) $1 + y = 3$ $y = 2$

29) $7 + y = 16$ $y = 9$ 30) $y + 2 = 11$ $y = 9$ 31) $4 + y = 12$ $y = 8$ 32) $3 - y = -4$ $y = 7$

33) $3 - y = 2$ $y = 1$ 34) $y + 4 = 7$ $y = 3$ 35) $y + 1 = 10$ $y = 9$ 36) $9 - y = 3$ $y = 6$

37) $y + 1 = 3$ $y = 2$ 38) $y - 5 = 1$ $y = 6$ 39) $y - 6 = 2$ $y = 8$ 40) $y + 3 = 10$ $y = 7$

41) $5 - y = -3$ $y = 8$ 42) $7 - y = 6$ $y = 1$ 43) $8 - y = 0$ $y = 8$ 44) $y - 6 = 1$ $y = 7$

45) $3 + y = 8$ $y = 5$ 46) $y + 4 = 13$ $y = 9$ 47) $8 + y = 9$ $y = 1$ 48) $y - 6 = -3$ $y = 3$

49) $y + 9 = 14$ $y = 5$ 50) $7 - y = 3$ $y = 4$

L) Solve for the variable.

1) $y - 8 = -6$ $y = 2$

2) $y - 8 = -3$ $y = 5$

3) $y - 1 = 4$ $y = 5$

4) $y + 8 = 16$ $y = 8$

5) $6 + y = 7$ $y = 1$

6) $7 + y = 13$ $y = 6$

7) $y + 8 = 17$ $y = 9$

8) $4 + y = 11$ $y = 7$

9) $1 - y = -6$ $y = 7$

10) $y - 6 = -3$ $y = 3$

11) $y - 7 = 2$ $y = 9$

12) $5 + y = 14$ $y = 9$

13) $y - 2 = 2$ $y = 4$

14) $y - 5 = 2$ $y = 7$

15) $y + 9 = 17$ $y = 8$

16) $9 + y = 16$ $y = 7$

17) $7 - y = 3$ $y = 4$

18) $y - 9 = -1$ $y = 8$

19) $3 + y = 10$ $y = 7$

20) $y + 1 = 5$ $y = 4$

21) $7 - y = 0$ $y = 7$

22) $y - 7 = -1$ $y = 6$

23) $8 + y = 10$ $y = 2$

24) $7 + y = 8$ $y = 1$

25) $y - 9 = -5$ $y = 4$

26) $9 + y = 11$ $y = 2$

27) $4 - y = -1$ $y = 5$

28) $y - 6 = -2$ $y = 4$

29) $5 + y = 9$ $y = 4$

30) $y + 4 = 8$ $y = 4$

31) $1 - y = 0$ $y = 1$

32) $8 - y = 2$ $y = 6$

33) $9 + y = 14$ $y = 5$

34) $4 - y = 1$ $y = 3$

35) $y + 3 = 6$ $y = 3$

36) $9 + y = 12$ $y = 3$

37) $1 + y = 9$ $y = 8$

38) $y - 2 = -1$ $y = 1$

39) $3 + y = 11$ $y = 8$

40) $7 + y = 14$ $y = 7$

41) $5 + y = 6$ $y = 1$

42) $8 - y = 3$ $y = 5$

43) $1 + y = 5$ $y = 4$

44) $y + 7 = 13$ $y = 6$

45) $3 - y = 2$ $y = 1$

46) $6 + y = 10$ $y = 4$

47) $7 + y = 15$ $y = 8$

48) $y + 8 = 14$ $y = 6$

49) $3 - y = 1$ $y = 2$

50) $y - 3 = 6$ $y = 9$

M) Solve for the variable.

1) $7 + y = 16$ $\underline{y = 9}$

2) $3 + y = 5$ $\underline{y = 2}$

3) $6 - y = 5$ $\underline{y = 1}$

4) $2 - y = -3$ $\underline{y = 5}$

5) $y + 2 = 10$ $\underline{y = 8}$

6) $6 + y = 7$ $\underline{y = 1}$

7) $1 + y = 5$ $\underline{y = 4}$

8) $y - 5 = -1$ $\underline{y = 4}$

9) $y - 1 = 2$ $\underline{y = 3}$

10) $y - 3 = -1$ $\underline{y = 2}$

11) $5 - y = 3$ $\underline{y = 2}$

12) $8 + y = 14$ $\underline{y = 6}$

13) $9 + y = 11$ $\underline{y = 2}$

14) $y + 6 = 10$ $\underline{y = 4}$

15) $4 + y = 5$ $\underline{y = 1}$

16) $7 + y = 11$ $\underline{y = 4}$

17) $1 - y = 0$ $\underline{y = 1}$

18) $5 + y = 14$ $\underline{y = 9}$

19) $y - 1 = 3$ $\underline{y = 4}$

20) $y - 1 = 6$ $\underline{y = 7}$

21) $3 - y = -3$ $\underline{y = 6}$

22) $1 + y = 8$ $\underline{y = 7}$

23) $9 + y = 10$ $\underline{y = 1}$

24) $y - 3 = 6$ $\underline{y = 9}$

25) $y + 4 = 9$ $\underline{y = 5}$

26) $y + 5 = 8$ $\underline{y = 3}$

27) $2 - y = -4$ $\underline{y = 6}$

28) $5 + y = 12$ $\underline{y = 7}$

29) $7 + y = 9$ $\underline{y = 2}$

30) $y - 6 = -1$ $\underline{y = 5}$

31) $y - 4 = -1$ $\underline{y = 3}$

32) $y - 4 = -3$ $\underline{y = 1}$

33) $y + 1 = 8$ $\underline{y = 7}$

34) $y + 4 = 10$ $\underline{y = 6}$

35) $2 - y = 0$ $\underline{y = 2}$

36) $6 + y = 8$ $\underline{y = 2}$

37) $6 + y = 9$ $\underline{y = 3}$

38) $7 + y = 14$ $\underline{y = 7}$

39) $y + 9 = 15$ $\underline{y = 6}$

40) $y + 5 = 6$ $\underline{y = 1}$

41) $y - 3 = 1$ $\underline{y = 4}$

42) $2 + y = 8$ $\underline{y = 6}$

43) $8 + y = 9$ $\underline{y = 1}$

44) $2 - y = 1$ $\underline{y = 1}$

45) $y - 6 = 2$ $\underline{y = 8}$

46) $1 - y = -5$ $\underline{y = 6}$

47) $4 + y = 9$ $\underline{y = 5}$

48) $y + 3 = 10$ $\underline{y = 7}$

49) $y - 7 = -6$ $\underline{y = 1}$

50) $3 + y = 10$ $\underline{y = 7}$

N) Solve for the variable.

1) $4 + y = 10$ $y = 6$ 2) $y - 8 = -7$ $y = 1$ 3) $y + 4 = 7$ $y = 3$ 4) $8 - y = 4$ $y = 4$

5) $7 + y = 13$ $y = 6$ 6) $1 + y = 9$ $y = 8$ 7) $9 - y = 5$ $y = 4$ 8) $y + 4 = 6$ $y = 2$

9) $3 + y = 10$ $y = 7$ 10) $y + 6 = 14$ $y = 8$ 11) $y + 9 = 17$ $y = 8$ 12) $y - 5 = -4$ $y = 1$

13) $y + 4 = 10$ $y = 6$ 14) $4 + y = 12$ $y = 8$ 15) $y + 2 = 6$ $y = 4$ 16) $y + 3 = 11$ $y = 8$

17) $6 - y = -3$ $y = 9$ 18) $y + 5 = 8$ $y = 3$ 19) $y + 9 = 14$ $y = 5$ 20) $6 + y = 11$ $y = 5$

21) $6 - y = 4$ $y = 2$ 22) $y + 2 = 11$ $y = 9$ 23) $2 + y = 7$ $y = 5$ 24) $6 - y = 1$ $y = 5$

25) $y + 8 = 10$ $y = 2$ 26) $y + 9 = 18$ $y = 9$ 27) $1 + y = 2$ $y = 1$ 28) $y + 2 = 4$ $y = 2$

29) $y + 7 = 12$ $y = 5$ 30) $y - 8 = -3$ $y = 5$ 31) $9 - y = 1$ $y = 8$ 32) $1 - y = -6$ $y = 7$

33) $y + 9 = 16$ $y = 7$ 34) $y - 1 = 2$ $y = 3$ 35) $6 + y = 12$ $y = 6$ 36) $y - 3 = 5$ $y = 8$

37) $y - 4 = -3$ $y = 1$ 38) $y + 3 = 10$ $y = 7$ 39) $y + 1 = 3$ $y = 2$ 40) $4 + y = 7$ $y = 3$

41) $4 - y = -5$ $y = 9$ 42) $9 + y = 16$ $y = 7$ 43) $1 - y = -5$ $y = 6$ 44) $2 + y = 5$ $y = 3$

45) $8 + y = 9$ $y = 1$ 46) $y - 5 = 0$ $y = 5$ 47) $2 + y = 11$ $y = 9$ 48) $5 - y = -1$ $y = 6$

49) $7 + y = 8$ $y = 1$ 50) $1 - y = -2$ $y = 3$

14

O) Solve for the variable.

1) $y - 7 = 1$ $y = 8$

2) $y + 6 = 7$ $y = 1$

3) $y - 4 = 4$ $y = 8$

4) $5 - y = 3$ $y = 2$

5) $y + 2 = 6$ $y = 4$

6) $6 - y = 2$ $y = 4$

7) $y + 8 = 15$ $y = 7$

8) $8 + y = 17$ $y = 9$

9) $y + 2 = 9$ $y = 7$

10) $8 + y = 11$ $y = 3$

11) $y + 9 = 12$ $y = 3$

12) $y + 9 = 15$ $y = 6$

13) $1 + y = 2$ $y = 1$

14) $2 + y = 5$ $y = 3$

15) $y + 3 = 12$ $y = 9$

16) $y - 1 = 0$ $y = 1$

17) $y + 4 = 11$ $y = 7$

18) $3 + y = 10$ $y = 7$

19) $y - 4 = 3$ $y = 7$

20) $4 - y = -4$ $y = 8$

21) $8 - y = -1$ $y = 9$

22) $y + 5 = 12$ $y = 7$

23) $5 + y = 8$ $y = 3$

24) $y + 8 = 12$ $y = 4$

25) $y - 7 = -3$ $y = 4$

26) $2 - y = -7$ $y = 9$

27) $y - 1 = 1$ $y = 2$

28) $6 + y = 13$ $y = 7$

29) $3 - y = 1$ $y = 2$

30) $y - 2 = 0$ $y = 2$

31) $2 - y = -4$ $y = 6$

32) $y - 1 = 6$ $y = 7$

33) $y - 4 = 0$ $y = 4$

34) $9 + y = 13$ $y = 4$

35) $3 + y = 8$ $y = 5$

36) $8 - y = 2$ $y = 6$

37) $8 - y = 6$ $y = 2$

38) $y - 1 = 5$ $y = 6$

39) $y + 5 = 7$ $y = 2$

40) $y - 2 = 7$ $y = 9$

41) $6 - y = -1$ $y = 7$

42) $8 - y = 7$ $y = 1$

43) $4 - y = -5$ $y = 9$

44) $y - 8 = -1$ $y = 7$

45) $y + 5 = 13$ $y = 8$

46) $y + 1 = 9$ $y = 8$

47) $6 - y = 4$ $y = 2$

48) $y + 6 = 9$ $y = 3$

49) $1 - y = -4$ $y = 5$

50) $y - 9 = -6$ $y = 3$

P) Solve for the variable.

1) $3 + y = 10$ $y = 7$ 2) $7 + y = 10$ $y = 3$ 3) $y - 6 = 3$ $y = 9$ 4) $y + 9 = 11$ $y = 2$

5) $y + 6 = 10$ $y = 4$ 6) $8 + y = 11$ $y = 3$ 7) $y + 4 = 8$ $y = 4$ 8) $y - 9 = -4$ $y = 5$

9) $3 - y = 2$ $y = 1$ 10) $1 + y = 7$ $y = 6$ 11) $5 + y = 8$ $y = 3$ 12) $y - 3 = -2$ $y = 1$

13) $2 + y = 4$ $y = 2$ 14) $1 - y = -1$ $y = 2$ 15) $3 + y = 4$ $y = 1$ 16) $3 + y = 7$ $y = 4$

17) $1 + y = 4$ $y = 3$ 18) $y + 4 = 5$ $y = 1$ 19) $y - 1 = 7$ $y = 8$ 20) $6 + y = 8$ $y = 2$

21) $7 - y = 4$ $y = 3$ 22) $9 - y = 6$ $y = 3$ 23) $y - 2 = 0$ $y = 2$ 24) $4 + y = 9$ $y = 5$

25) $6 - y = 4$ $y = 2$ 26) $2 + y = 3$ $y = 1$ 27) $6 + y = 10$ $y = 4$ 28) $1 - y = -7$ $y = 8$

29) $y + 1 = 6$ $y = 5$ 30) $y - 3 = 3$ $y = 6$ 31) $y + 2 = 6$ $y = 4$ 32) $2 + y = 5$ $y = 3$

33) $y + 8 = 12$ $y = 4$ 34) $9 + y = 11$ $y = 2$ 35) $4 + y = 11$ $y = 7$ 36) $2 - y = 1$ $y = 1$

37) $y + 5 = 13$ $y = 8$ 38) $y - 1 = 3$ $y = 4$ 39) $5 - y = 4$ $y = 1$ 40) $y + 9 = 12$ $y = 3$

41) $y - 9 = -7$ $y = 2$ 42) $8 - y = 3$ $y = 5$ 43) $9 - y = 2$ $y = 7$ 44) $y + 6 = 12$ $y = 6$

45) $y + 6 = 13$ $y = 7$ 46) $1 - y = -6$ $y = 7$ 47) $y + 6 = 8$ $y = 2$ 48) $y + 4 = 6$ $y = 2$

49) $7 + y = 15$ $y = 8$ 50) $1 + y = 2$ $y = 1$

16

Q) Solve for the variable.

1) $6 - y = -1$ $y = 7$ 2) $6 + y = 12$ $y = 6$ 3) $5 - y = 2$ $y = 3$ 4) $y - 3 = 3$ $y = 6$

5) $3 + y = 8$ $y = 5$ 6) $6 + y = 10$ $y = 4$ 7) $5 - y = 3$ $y = 2$ 8) $y + 3 = 9$ $y = 6$

9) $y - 1 = 0$ $y = 1$ 10) $3 + y = 7$ $y = 4$ 11) $7 + y = 11$ $y = 4$ 12) $2 + y = 4$ $y = 2$

13) $y - 4 = 0$ $y = 4$ 14) $y - 2 = 1$ $y = 3$ 15) $y + 1 = 6$ $y = 5$ 16) $y + 9 = 15$ $y = 6$

17) $3 + y = 12$ $y = 9$ 18) $y - 4 = 3$ $y = 7$ 19) $7 - y = -2$ $y = 9$ 20) $y - 7 = 0$ $y = 7$

21) $y + 6 = 14$ $y = 8$ 22) $2 + y = 10$ $y = 8$ 23) $9 - y = 4$ $y = 5$ 24) $9 + y = 17$ $y = 8$

25) $y + 2 = 11$ $y = 9$ 26) $y + 5 = 11$ $y = 6$ 27) $y + 4 = 5$ $y = 1$ 28) $8 + y = 10$ $y = 2$

29) $9 + y = 15$ $y = 6$ 30) $y - 6 = -4$ $y = 2$ 31) $y + 2 = 6$ $y = 4$ 32) $y - 1 = 5$ $y = 6$

33) $4 + y = 10$ $y = 6$ 34) $y + 5 = 7$ $y = 2$ 35) $y + 9 = 17$ $y = 8$ 36) $2 - y = 1$ $y = 1$

37) $y - 6 = -5$ $y = 1$ 38) $y + 1 = 2$ $y = 1$ 39) $y + 5 = 13$ $y = 8$ 40) $4 - y = -3$ $y = 7$

41) $7 - y = 1$ $y = 6$ 42) $3 + y = 9$ $y = 6$ 43) $y - 9 = -1$ $y = 8$ 44) $1 + y = 4$ $y = 3$

45) $y + 2 = 9$ $y = 7$ 46) $9 - y = 0$ $y = 9$ 47) $1 + y = 9$ $y = 8$ 48) $y + 8 = 14$ $y = 6$

49) $y - 8 = -6$ $y = 2$ 50) $9 + y = 14$ $y = 5$

R) Solve for the variable.

1) $y + 6 = 15$ $y = 9$ 2) $y - 1 = 2$ $y = 3$ 3) $y - 6 = -3$ $y = 3$ 4) $y + 6 = 14$ $y = 8$

5) $5 - y = -1$ $y = 6$ 6) $2 + y = 6$ $y = 4$ 7) $5 - y = -4$ $y = 9$ 8) $7 - y = 0$ $y = 7$

9) $y + 8 = 9$ $y = 1$ 10) $7 + y = 15$ $y = 8$ 11) $9 - y = 4$ $y = 5$ 12) $y + 6 = 13$ $y = 7$

13) $y + 6 = 9$ $y = 3$ 14) $y + 4 = 12$ $y = 8$ 15) $y - 2 = 3$ $y = 5$ 16) $y + 6 = 12$ $y = 6$

17) $7 - y = 3$ $y = 4$ 18) $y + 3 = 9$ $y = 6$ 19) $y - 5 = -2$ $y = 3$ 20) $7 - y = -1$ $y = 8$

21) $y - 9 = -2$ $y = 7$ 22) $2 + y = 11$ $y = 9$ 23) $y - 1 = 0$ $y = 1$ 24) $9 - y = 0$ $y = 9$

25) $y + 2 = 6$ $y = 4$ 26) $y + 8 = 14$ $y = 6$ 27) $y + 4 = 8$ $y = 4$ 28) $y - 3 = -1$ $y = 2$

29) $1 - y = -4$ $y = 5$ 30) $6 + y = 7$ $y = 1$ 31) $y + 5 = 9$ $y = 4$ 32) $1 - y = -8$ $y = 9$

33) $y - 4 = 2$ $y = 6$ 34) $2 + y = 5$ $y = 3$ 35) $y + 3 = 12$ $y = 9$ 36) $4 + y = 13$ $y = 9$

37) $y - 4 = 0$ $y = 4$ 38) $y + 5 = 7$ $y = 2$ 39) $y + 7 = 15$ $y = 8$ 40) $1 - y = -6$ $y = 7$

41) $y + 9 = 14$ $y = 5$ 42) $5 - y = 2$ $y = 3$ 43) $y - 1 = 3$ $y = 4$ 44) $6 - y = 0$ $y = 6$

45) $6 - y = 3$ $y = 3$ 46) $6 - y = -3$ $y = 9$ 47) $7 - y = 6$ $y = 1$ 48) $9 - y = 1$ $y = 8$

49) $1 - y = -3$ $y = 4$ 50) $y + 1 = 4$ $y = 3$

S) Solve for the variable.

1) $4 + y = 13$ $y = 9$ 2) $5 - y = -4$ $y = 9$ 3) $y - 7 = 0$ $y = 7$ 4) $y - 9 = -3$ $y = 6$

5) $8 + y = 14$ $y = 6$ 6) $y - 4 = -1$ $y = 3$ 7) $y - 8 = -1$ $y = 7$ 8) $3 - y = 0$ $y = 3$

9) $y - 5 = -2$ $y = 3$ 10) $2 - y = -1$ $y = 3$ 11) $y - 3 = 1$ $y = 4$ 12) $y - 3 = 4$ $y = 7$

13) $y + 5 = 8$ $y = 3$ 14) $y + 1 = 5$ $y = 4$ 15) $y + 6 = 9$ $y = 3$ 16) $y - 3 = 3$ $y = 6$

17) $9 + y = 11$ $y = 2$ 18) $3 - y = -6$ $y = 9$ 19) $y - 9 = -2$ $y = 7$ 20) $6 - y = 0$ $y = 6$

21) $y - 5 = -4$ $y = 1$ 22) $1 - y = -1$ $y = 2$ 23) $y + 3 = 6$ $y = 3$ 24) $y - 5 = 0$ $y = 5$

25) $y - 2 = 4$ $y = 6$ 26) $3 - y = -5$ $y = 8$ 27) $y + 7 = 10$ $y = 3$ 28) $3 - y = -3$ $y = 6$

29) $y + 7 = 11$ $y = 4$ 30) $1 + y = 8$ $y = 7$ 31) $6 + y = 13$ $y = 7$ 32) $y + 9 = 15$ $y = 6$

33) $y + 5 = 14$ $y = 9$ 34) $2 + y = 7$ $y = 5$ 35) $5 - y = -2$ $y = 7$ 36) $4 - y = -4$ $y = 8$

37) $9 - y = 7$ $y = 2$ 38) $3 + y = 5$ $y = 2$ 39) $3 + y = 4$ $y = 1$ 40) $y + 7 = 12$ $y = 5$

41) $y - 6 = 3$ $y = 9$ 42) $y - 2 = 5$ $y = 7$ 43) $y - 1 = 5$ $y = 6$ 44) $y - 9 = 0$ $y = 9$

45) $9 - y = 5$ $y = 4$ 46) $y + 1 = 10$ $y = 9$ 47) $6 + y = 9$ $y = 3$ 48) $y - 9 = -5$ $y = 4$

49) $6 + y = 12$ $y = 6$ 50) $5 - y = 1$ $y = 4$

T) Solve for the variable.

1) 13 + y = 18 _y = 5_   2) 9 - y = 1 _y = 8_   3) y - 18 = -3 _y = 15_   4) y + 12 = 23 _y = 11_

5) 8 + y = 26 _y = 18_   6) y + 8 = 21 _y = 13_   7) 9 + y = 23 _y = 14_   8) 11 - y = -2 _y = 13_

9) y + 11 = 21 _y = 10_   10) 5 - y = -9 _y = 14_   11) 20 + y = 37 _y = 17_   12) 12 + y = 21 _y = 9_

13) 18 - y = 10 _y = 8_   14) y + 10 = 11 _y = 1_   15) 16 + y = 26 _y = 10_   16) 18 + y = 33 _y = 15_

17) y + 8 = 25 _y = 17_   18) 20 - y = 15 _y = 5_   19) y - 17 = -7 _y = 10_   20) 14 + y = 16 _y = 2_

21) 11 + y = 31 _y = 20_   22) 18 + y = 27 _y = 9_   23) y - 9 = -4 _y = 5_   24) 19 + y = 38 _y = 19_

25) 10 + y = 17 _y = 7_   26) 14 - y = 6 _y = 8_   27) y - 14 = -4 _y = 10_   28) y + 16 = 36 _y = 20_

29) y - 1 = 13 _y = 14_   30) 11 + y = 19 _y = 8_   31) y - 1 = 16 _y = 17_   32) 17 - y = -1 _y = 18_

33) y + 19 = 39 _y = 20_   34) y - 1 = 11 _y = 12_   35) 14 - y = 7 _y = 7_   36) y + 14 = 18 _y = 4_

37) 17 + y = 21 _y = 4_   38) y - 1 = 2 _y = 3_   39) y - 3 = 16 _y = 19_   40) 4 - y = -5 _y = 9_

41) 9 - y = 6 _y = 3_   42) y - 10 = -9 _y = 1_   43) 6 + y = 10 _y = 4_   44) 8 - y = 4 _y = 4_

45) 11 - y = 2 _y = 9_   46) y + 7 = 14 _y = 7_   47) 5 - y = -5 _y = 10_   48) 4 + y = 5 _y = 1_

49) y - 7 = 2 _y = 9_   50) 18 - y = 0 _y = 18_

U) Solve for the variable.

1) $3 + y = 8$ $y = 5$ 2) $9 + y = 10$ $y = 1$ 3) $y + 1 = 7$ $y = 6$ 4) $y + 8 = 18$ $y = 10$

5) $y + 9 = 25$ $y = 16$ 6) $18 - y = 5$ $y = 13$ 7) $19 - y = 2$ $y = 17$ 8) $y - 6 = 7$ $y = 13$

9) $7 - y = -9$ $y = 16$ 10) $6 + y = 14$ $y = 8$ 11) $y + 8 = 12$ $y = 4$ 12) $9 + y = 18$ $y = 9$

13) $y - 17 = -15$ $y = 2$ 14) $3 - y = -4$ $y = 7$ 15) $13 + y = 18$ $y = 5$ 16) $y + 5 = 13$ $y = 8$

17) $13 + y = 19$ $y = 6$ 18) $y + 18 = 37$ $y = 19$ 19) $y - 8 = 0$ $y = 8$ 20) $y + 10 = 17$ $y = 7$

21) $18 - y = 6$ $y = 12$ 22) $12 + y = 18$ $y = 6$ 23) $y + 8 = 9$ $y = 1$ 24) $2 + y = 16$ $y = 14$

25) $y - 16 = -10$ $y = 6$ 26) $17 + y = 26$ $y = 9$ 27) $9 - y = 2$ $y = 7$ 28) $y - 15 = 5$ $y = 20$

29) $y - 20 = -4$ $y = 16$ 30) $y + 9 = 29$ $y = 20$ 31) $y + 3 = 21$ $y = 18$ 32) $16 - y = 5$ $y = 11$

33) $y - 13 = -11$ $y = 2$ 34) $20 + y = 34$ $y = 14$ 35) $y - 15 = 3$ $y = 18$ 36) $y - 19 = -1$ $y = 18$

37) $10 - y = -7$ $y = 17$ 38) $y - 12 = -1$ $y = 11$ 39) $16 + y = 20$ $y = 4$ 40) $8 - y = -6$ $y = 14$

41) $16 - y = 7$ $y = 9$ 42) $y + 17 = 19$ $y = 2$ 43) $y - 20 = -11$ $y = 9$ 44) $17 - y = 11$ $y = 6$

45) $y + 5 = 12$ $y = 7$ 46) $y + 9 = 11$ $y = 2$ 47) $y + 18 = 27$ $y = 9$ 48) $12 + y = 28$ $y = 16$

49) $16 + y = 17$ $y = 1$ 50) $y + 9 = 14$ $y = 5$

V) Solve for the variable.

1) y - 3 = 5   y = 8

2) 8 - y = -10   y = 18

3) 5 - y = 0   y = 5

4) 18 + y = 34   y = 16

5) y - 4 = 15   y = 19

6) 11 + y = 22   y = 11

7) 20 - y = 4   y = 16

8) 10 + y = 16   y = 6

9) 20 - y = 13   y = 7

10) y + 20 = 24   y = 4

11) 15 - y = 5   y = 10

12) 8 + y = 10   y = 2

13) 3 - y = -16   y = 19

14) 8 + y = 13   y = 5

15) 12 + y = 15   y = 3

16) y + 13 = 28   y = 15

17) y + 12 = 14   y = 2

18) y - 9 = 4   y = 13

19) y + 18 = 21   y = 3

20) y + 4 = 11   y = 7

21) y + 18 = 31   y = 13

22) y + 8 = 18   y = 10

23) 5 - y = -13   y = 18

24) y + 6 = 12   y = 6

25) 13 + y = 15   y = 2

26) y + 7 = 12   y = 5

27) y + 18 = 25   y = 7

28) y - 7 = 8   y = 15

29) 15 + y = 22   y = 7

30) y + 14 = 32   y = 18

31) 4 + y = 21   y = 17

32) 9 + y = 27   y = 18

33) 9 - y = 0   y = 9

34) 3 + y = 5   y = 2

35) y - 2 = 1   y = 3

36) 20 - y = 0   y = 20

37) 2 + y = 22   y = 20

38) 18 + y = 28   y = 10

39) y + 16 = 28   y = 12

40) y + 10 = 24   y = 14

41) 19 - y = 13   y = 6

42) y + 14 = 24   y = 10

43) 8 + y = 24   y = 16

44) 5 - y = -11   y = 16

45) 14 + y = 31   y = 17

46) 3 + y = 4   y = 1

47) y - 5 = 1   y = 6

48) y - 17 = -5   y = 12

49) y - 13 = -4   y = 9

50) y + 17 = 36   y = 19

22

W) Solve for the variable.

1) 17 - y = 10 $y = 7$ 2) 14 - y = 5 $y = 9$ 3) 7 - y = -6 $y = 13$ 4) y + 10 = 13 $y = 3$

5) 18 - y = -1 $y = 19$ 6) y - 12 = 6 $y = 18$ 7) y - 18 = -1 $y = 17$ 8) 20 + y = 36 $y = 16$

9) 12 + y = 21 $y = 9$ 10) 20 - y = 16 $y = 4$ 11) y + 7 = 25 $y = 18$ 12) 17 - y = 15 $y = 2$

13) y + 13 = 30 $y = 17$ 14) y - 17 = -1 $y = 16$ 15) 14 + y = 15 $y = 1$ 16) y - 11 = 6 $y = 17$

17) y - 4 = 13 $y = 17$ 18) 20 + y = 32 $y = 12$ 19) y - 17 = -4 $y = 13$ 20) 9 + y = 26 $y = 17$

21) 5 - y = -14 $y = 19$ 22) y - 18 = -12 $y = 6$ 23) 8 + y = 12 $y = 4$ 24) y - 12 = -5 $y = 7$

25) y - 1 = 19 $y = 20$ 26) 14 - y = 0 $y = 14$ 27) y - 17 = 2 $y = 19$ 28) 16 - y = 6 $y = 10$

29) 10 - y = -3 $y = 13$ 30) 12 - y = -2 $y = 14$ 31) 17 - y = 11 $y = 6$ 32) y - 17 = 0 $y = 17$

33) y - 7 = -4 $y = 3$ 34) 16 + y = 30 $y = 14$ 35) y - 9 = 10 $y = 19$ 36) y - 15 = -12 $y = 3$

37) y - 20 = 0 $y = 20$ 38) y + 20 = 22 $y = 2$ 39) 14 - y = 1 $y = 13$ 40) y + 4 = 11 $y = 7$

41) 17 - y = 4 $y = 13$ 42) y + 3 = 11 $y = 8$ 43) y - 20 = -8 $y = 12$ 44) 8 - y = -3 $y = 11$

45) 2 - y = 1 $y = 1$ 46) y - 16 = -11 $y = 5$ 47) y + 19 = 20 $y = 1$ 48) 2 - y = -7 $y = 9$

49) y + 1 = 16 $y = 15$ 50) 8 + y = 22 $y = 14$

X) Solve for the variable.

1) $8 - y = 2$ $y = 6$ 2) $y - 18 = 0$ $y = 18$ 3) $y - 10 = -8$ $y = 2$ 4) $y - 9 = 3$ $y = 12$

5) $y + 14 = 32$ $y = 18$ 6) $7 + y = 18$ $y = 11$ 7) $11 - y = -8$ $y = 19$ 8) $14 - y = 0$ $y = 14$

9) $y - 11 = 6$ $y = 17$ 10) $y - 4 = -1$ $y = 3$ 11) $y - 9 = 11$ $y = 20$ 12) $19 - y = 17$ $y = 2$

13) $y - 8 = 12$ $y = 20$ 14) $17 - y = 11$ $y = 6$ 15) $8 - y = -10$ $y = 18$ 16) $5 + y = 15$ $y = 10$

17) $y + 16 = 34$ $y = 18$ 18) $y + 9 = 10$ $y = 1$ 19) $16 - y = 15$ $y = 1$ 20) $y + 7 = 23$ $y = 16$

21) $y - 5 = 0$ $y = 5$ 22) $y - 12 = 4$ $y = 16$ 23) $9 + y = 23$ $y = 14$ 24) $y + 20 = 35$ $y = 15$

25) $19 + y = 35$ $y = 16$ 26) $13 + y = 19$ $y = 6$ 27) $y - 16 = -8$ $y = 8$ 28) $y - 15 = 4$ $y = 19$

29) $y - 6 = 7$ $y = 13$ 30) $y - 1 = 0$ $y = 1$ 31) $10 + y = 28$ $y = 18$ 32) $13 + y = 29$ $y = 16$

33) $19 - y = 13$ $y = 6$ 34) $18 - y = 1$ $y = 17$ 35) $16 - y = -1$ $y = 17$ 36) $13 - y = 6$ $y = 7$

37) $14 + y = 20$ $y = 6$ 38) $20 + y = 23$ $y = 3$ 39) $y - 9 = 2$ $y = 11$ 40) $19 + y = 28$ $y = 9$

41) $y + 13 = 30$ $y = 17$ 42) $6 - y = 4$ $y = 2$ 43) $2 + y = 3$ $y = 1$ 44) $y - 1 = 2$ $y = 3$

45) $14 + y = 33$ $y = 19$ 46) $5 - y = -11$ $y = 16$ 47) $y - 11 = -8$ $y = 3$ 48) $2 - y = -11$ $y = 13$

49) $y - 10 = 6$ $y = 16$ 50) $y - 3 = -1$ $y = 2$

Y) Solve for the variable.

1) 16 - y = 2 $y = 14$ 2) y - 6 = 14 $y = 20$ 3) y + 4 = 21 $y = 17$ 4) y + 1 = 3 $y = 2$

5) 7 - y = 6 $y = 1$ 6) 20 - y = 12 $y = 8$ 7) 1 + y = 11 $y = 10$ 8) y - 9 = 5 $y = 14$

9) y - 11 = 8 $y = 19$ 10) 2 + y = 18 $y = 16$ 11) y + 6 = 8 $y = 2$ 12) 20 + y = 28 $y = 8$

13) 15 + y = 33 $y = 18$ 14) 10 - y = 3 $y = 7$ 15) 3 - y = 2 $y = 1$ 16) 2 - y = -17 $y = 19$

17) y + 1 = 6 $y = 5$ 18) 15 + y = 30 $y = 15$ 19) y + 15 = 25 $y = 10$ 20) y + 17 = 26 $y = 9$

21) y - 9 = 10 $y = 19$ 22) 17 - y = -1 $y = 18$ 23) y - 15 = 4 $y = 19$ 24) y + 6 = 16 $y = 10$

25) 18 - y = 13 $y = 5$ 26) 8 - y = -12 $y = 20$ 27) 13 - y = -2 $y = 15$ 28) y - 10 = -4 $y = 6$

29) y - 5 = 5 $y = 10$ 30) 11 - y = 10 $y = 1$ 31) 19 + y = 39 $y = 20$ 32) 4 + y = 6 $y = 2$

33) 16 - y = -4 $y = 20$ 34) y - 4 = 16 $y = 20$ 35) 3 - y = -2 $y = 5$ 36) y - 14 = 4 $y = 18$

37) 9 - y = 6 $y = 3$ 38) y - 1 = 8 $y = 9$ 39) y - 5 = 3 $y = 8$ 40) 9 - y = -10 $y = 19$

41) y + 4 = 9 $y = 5$ 42) 11 - y = 5 $y = 6$ 43) y + 20 = 29 $y = 9$ 44) y - 20 = -10 $y = 10$

45) 6 + y = 10 $y = 4$ 46) 6 + y = 25 $y = 19$ 47) 11 + y = 28 $y = 17$ 48) 14 + y = 32 $y = 18$

49) y - 10 = 2 $y = 12$ 50) y - 19 = -9 $y = 10$

Z) Solve for the variable.

1) $7 + y = 21$ $y = 14$ 2) $2 - y = -15$ $y = 17$ 3) $9 + y = 12$ $y = 3$ 4) $17 + y = 37$ $y = 20$

5) $y + 1 = 2$ $y = 1$ 6) $18 - y = -2$ $y = 20$ 7) $y + 11 = 28$ $y = 17$ 8) $y - 13 = 0$ $y = 13$

9) $y + 12 = 21$ $y = 9$ 10) $3 - y = -1$ $y = 4$ 11) $y + 1 = 4$ $y = 3$ 12) $6 - y = 2$ $y = 4$

13) $6 + y = 16$ $y = 10$ 14) $13 + y = 33$ $y = 20$ 15) $10 + y = 18$ $y = 8$ 16) $9 + y = 13$ $y = 4$

17) $y - 4 = -3$ $y = 1$ 18) $y - 13 = -5$ $y = 8$ 19) $9 + y = 22$ $y = 13$ 20) $y + 11 = 22$ $y = 11$

21) $y - 13 = 1$ $y = 14$ 22) $y - 2 = 5$ $y = 7$ 23) $y + 16 = 30$ $y = 14$ 24) $3 + y = 9$ $y = 6$

25) $11 + y = 24$ $y = 13$ 26) $y + 2 = 19$ $y = 17$ 27) $y + 1 = 17$ $y = 16$ 28) $y + 6 = 13$ $y = 7$

29) $8 + y = 26$ $y = 18$ 30) $12 + y = 31$ $y = 19$ 31) $y - 17 = -6$ $y = 11$ 32) $y - 14 = -3$ $y = 11$

33) $y - 15 = -2$ $y = 13$ 34) $19 - y = 6$ $y = 13$ 35) $4 + y = 5$ $y = 1$ 36) $y - 16 = -11$ $y = 5$

37) $2 + y = 15$ $y = 13$ 38) $y - 11 = -1$ $y = 10$ 39) $y + 5 = 20$ $y = 15$ 40) $10 + y = 20$ $y = 10$

41) $8 - y = 0$ $y = 8$ 42) $9 - y = -9$ $y = 18$ 43) $11 - y = 4$ $y = 7$ 44) $y + 1 = 9$ $y = 8$

45) $y + 2 = 20$ $y = 18$ 46) $y + 11 = 16$ $y = 5$ 47) $2 + y = 14$ $y = 12$ 48) $20 - y = 2$ $y = 18$

49) $y + 19 = 29$ $y = 10$ 50) $y - 11 = 6$ $y = 17$

AA) Solve for the variable.

1) $8 + y = 17$ $y = 9$ 2) $y - 4 = 6$ $y = 10$ 3) $7 + y = 27$ $y = 20$ 4) $y + 7 = 26$ $y = 19$

5) $y + 3 = 20$ $y = 17$ 6) $y + 19 = 26$ $y = 7$ 7) $5 + y = 9$ $y = 4$ 8) $20 - y = 18$ $y = 2$

9) $y + 18 = 21$ $y = 3$ 10) $y - 13 = -10$ $y = 3$ 11) $3 - y = 0$ $y = 3$ 12) $14 + y = 18$ $y = 4$

13) $y - 9 = 0$ $y = 9$ 14) $y + 4 = 14$ $y = 10$ 15) $20 + y = 39$ $y = 19$ 16) $2 - y = -10$ $y = 12$

17) $y + 15 = 21$ $y = 6$ 18) $y + 19 = 29$ $y = 10$ 19) $y - 8 = 0$ $y = 8$ 20) $6 + y = 8$ $y = 2$

21) $y - 9 = -7$ $y = 2$ 22) $6 + y = 16$ $y = 10$ 23) $y - 7 = 12$ $y = 19$ 24) $y - 20 = -6$ $y = 14$

25) $y + 5 = 13$ $y = 8$ 26) $y + 3 = 7$ $y = 4$ 27) $2 - y = -14$ $y = 16$ 28) $16 + y = 22$ $y = 6$

29) $15 + y = 34$ $y = 19$ 30) $10 - y = -5$ $y = 15$ 31) $y - 19 = -11$ $y = 8$ 32) $1 - y = -14$ $y = 15$

33) $14 + y = 24$ $y = 10$ 34) $15 + y = 16$ $y = 1$ 35) $y + 15 = 30$ $y = 15$ 36) $12 - y = 10$ $y = 2$

37) $11 + y = 26$ $y = 15$ 38) $y + 4 = 21$ $y = 17$ 39) $5 + y = 8$ $y = 3$ 40) $y - 11 = 5$ $y = 16$

41) $y - 15 = 1$ $y = 16$ 42) $15 - y = -5$ $y = 20$ 43) $y + 11 = 22$ $y = 11$ 44) $y - 4 = 15$ $y = 19$

45) $y - 2 = 2$ $y = 4$ 46) $y - 8 = 6$ $y = 14$ 47) $12 - y = 5$ $y = 7$ 48) $y + 8 = 9$ $y = 1$

49) $y - 5 = 4$ $y = 9$ 50) $14 - y = 10$ $y = 4$

BB) Solve for the variable.

1) 4 - y = 2 _y = 2_

2) y - 17 = 3 _y = 20_

3) y - 4 = 9 _y = 13_

4) 20 - y = 7 _y = 13_

5) y + 18 = 35 _y = 17_

6) 11 - y = -4 _y = 15_

7) 10 + y = 23 _y = 13_

8) 19 + y = 30 _y = 11_

9) y + 17 = 18 _y = 1_

10) 4 + y = 24 _y = 20_

11) y + 9 = 11 _y = 2_

12) y + 19 = 28 _y = 9_

13) 11 + y = 23 _y = 12_

14) 6 - y = -13 _y = 19_

15) y + 2 = 5 _y = 3_

16) y - 5 = -3 _y = 2_

17) 2 + y = 22 _y = 20_

18) y + 12 = 21 _y = 9_

19) 15 - y = 7 _y = 8_

20) 3 + y = 14 _y = 11_

21) 2 + y = 15 _y = 13_

22) 8 - y = -9 _y = 17_

23) y - 5 = 4 _y = 9_

24) 10 + y = 28 _y = 18_

25) y + 2 = 12 _y = 10_

26) y + 7 = 27 _y = 20_

27) y + 17 = 34 _y = 17_

28) 2 - y = -13 _y = 15_

29) y + 2 = 16 _y = 14_

30) 7 + y = 8 _y = 1_

31) 19 + y = 21 _y = 2_

32) 10 + y = 26 _y = 16_

33) y + 7 = 24 _y = 17_

34) 14 + y = 25 _y = 11_

35) 4 + y = 11 _y = 7_

36) y + 14 = 31 _y = 17_

37) y - 14 = 1 _y = 15_

38) y + 10 = 29 _y = 19_

39) 10 + y = 16 _y = 6_

40) 3 - y = -5 _y = 8_

41) 10 - y = 8 _y = 2_

42) 3 - y = -12 _y = 15_

43) 8 + y = 13 _y = 5_

44) y - 15 = 3 _y = 18_

45) 19 + y = 32 _y = 13_

46) 1 - y = -1 _y = 2_

47) y + 1 = 13 _y = 12_

48) y + 13 = 17 _y = 4_

49) 1 - y = -2 _y = 3_

50) y + 20 = 32 _y = 12_

CC) Solve for the variable.

1) $2 + y = 10$ $y = 8$ 2) $18 + y = 33$ $y = 15$ 3) $y + 15 = 19$ $y = 4$ 4) $8 - y = -7$ $y = 15$

5) $y + 2 = 20$ $y = 18$ 6) $17 - y = -1$ $y = 18$ 7) $y + 1 = 5$ $y = 4$ 8) $8 - y = 2$ $y = 6$

9) $19 - y = 5$ $y = 14$ 10) $y + 18 = 33$ $y = 15$ 11) $11 + y = 16$ $y = 5$ 12) $y + 9 = 10$ $y = 1$

13) $y + 7 = 8$ $y = 1$ 14) $y - 11 = -8$ $y = 3$ 15) $y + 8 = 9$ $y = 1$ 16) $y + 13 = 27$ $y = 14$

17) $y - 15 = -3$ $y = 12$ 18) $16 + y = 23$ $y = 7$ 19) $y + 7 = 18$ $y = 11$ 20) $y - 20 = -16$ $y = 4$

21) $19 - y = 0$ $y = 19$ 22) $8 - y = -3$ $y = 11$ 23) $y + 9 = 25$ $y = 16$ 24) $y - 12 = -6$ $y = 6$

25) $y + 4 = 10$ $y = 6$ 26) $y + 16 = 31$ $y = 15$ 27) $y + 16 = 32$ $y = 16$ 28) $y + 17 = 25$ $y = 8$

29) $8 + y = 17$ $y = 9$ 30) $14 - y = -3$ $y = 17$ 31) $12 + y = 29$ $y = 17$ 32) $y - 11 = 4$ $y = 15$

33) $y + 4 = 13$ $y = 9$ 34) $y - 10 = -3$ $y = 7$ 35) $6 + y = 8$ $y = 2$ 36) $y - 12 = 3$ $y = 15$

37) $11 + y = 26$ $y = 15$ 38) $y + 13 = 32$ $y = 19$ 39) $18 + y = 29$ $y = 11$ 40) $14 + y = 26$ $y = 12$

41) $y - 12 = -10$ $y = 2$ 42) $y - 18 = -12$ $y = 6$ 43) $14 + y = 32$ $y = 18$ 44) $17 + y = 34$ $y = 17$

45) $y - 19 = -12$ $y = 7$ 46) $20 + y = 23$ $y = 3$ 47) $y - 7 = 6$ $y = 13$ 48) $8 + y = 10$ $y = 2$

49) $5 + y = 22$ $y = 17$ 50) $3 - y = -9$ $y = 12$

DD) Solve for the variable.

1) y + 19 = 20 $y = 1$ 2) 4 + y = 22 $y = 18$ 3) y + 18 = 21 $y = 3$ 4) 5 - y = -15 $y = 20$

5) 9 + y = 18 $y = 9$ 6) y + 15 = 36 $y = 21$ 7) 26 + y = 49 $y = 23$ 8) 23 + y = 45 $y = 22$

9) 23 - y = -7 $y = 30$ 10) 25 - y = 11 $y = 14$ 11) y - 30 = -28 $y = 2$ 12) y - 15 = 2 $y = 17$

13) 9 - y = -7 $y = 16$ 14) y + 3 = 25 $y = 22$ 15) 10 - y = 2 $y = 8$ 16) 24 + y = 44 $y = 20$

17) 20 + y = 43 $y = 23$ 18) 5 + y = 22 $y = 17$ 19) 14 + y = 17 $y = 3$ 20) y - 23 = 4 $y = 27$

21) y + 28 = 40 $y = 12$ 22) 15 + y = 38 $y = 23$ 23) 16 + y = 32 $y = 16$ 24) 21 + y = 26 $y = 5$

25) 23 + y = 38 $y = 15$ 26) y - 16 = 4 $y = 20$ 27) y - 1 = 29 $y = 30$ 28) y + 2 = 29 $y = 27$

29) 3 + y = 23 $y = 20$ 30) y + 18 = 27 $y = 9$ 31) y + 3 = 29 $y = 26$ 32) 11 + y = 13 $y = 2$

33) 16 + y = 17 $y = 1$ 34) 26 - y = 23 $y = 3$ 35) y - 6 = 13 $y = 19$ 36) 8 + y = 28 $y = 20$

37) 3 + y = 6 $y = 3$ 38) 2 + y = 6 $y = 4$ 39) y + 24 = 40 $y = 16$ 40) y + 24 = 54 $y = 30$

41) y + 18 = 44 $y = 26$ 42) 11 + y = 36 $y = 25$ 43) 18 - y = 9 $y = 9$ 44) y - 20 = 1 $y = 21$

45) y + 3 = 30 $y = 27$ 46) y - 25 = -10 $y = 15$ 47) y - 9 = 16 $y = 25$ 48) 27 - y = 17 $y = 10$

49) y - 13 = 4 $y = 17$ 50) 8 - y = -7 $y = 15$

30

EE) Solve for the variable.

1) $27 + y = 51$ $y = 24$ 2) $24 + y = 52$ $y = 28$ 3) $23 - y = 0$ $y = 23$ 4) $21 + y = 42$ $y = 21$

5) $3 - y = -17$ $y = 20$ 6) $y - 23 = -17$ $y = 6$ 7) $30 - y = 19$ $y = 11$ 8) $y + 13 = 22$ $y = 9$

9) $16 - y = 14$ $y = 2$ 10) $9 + y = 37$ $y = 28$ 11) $19 + y = 24$ $y = 5$ 12) $4 - y = -22$ $y = 26$

13) $8 + y = 36$ $y = 28$ 14) $y - 27 = -23$ $y = 4$ 15) $18 + y = 43$ $y = 25$ 16) $14 - y = 3$ $y = 11$

17) $y - 4 = 12$ $y = 16$ 18) $16 - y = 2$ $y = 14$ 19) $16 + y = 26$ $y = 10$ 20) $y + 8 = 36$ $y = 28$

21) $y - 20 = -19$ $y = 1$ 22) $6 - y = 2$ $y = 4$ 23) $18 - y = 10$ $y = 8$ 24) $y - 12 = 6$ $y = 18$

25) $y - 9 = 14$ $y = 23$ 26) $y - 24 = -20$ $y = 4$ 27) $y + 21 = 36$ $y = 15$ 28) $y + 23 = 35$ $y = 12$

29) $y + 29 = 50$ $y = 21$ 30) $y - 26 = -5$ $y = 21$ 31) $y + 24 = 44$ $y = 20$ 32) $y - 8 = -5$ $y = 3$

33) $y - 26 = -19$ $y = 7$ 34) $8 + y = 35$ $y = 27$ 35) $y + 25 = 51$ $y = 26$ 36) $28 + y = 34$ $y = 6$

37) $y - 2 = 3$ $y = 5$ 38) $y - 29 = -2$ $y = 27$ 39) $30 - y = 29$ $y = 1$ 40) $8 - y = 7$ $y = 1$

41) $y + 22 = 32$ $y = 10$ 42) $5 + y = 14$ $y = 9$ 43) $22 - y = 2$ $y = 20$ 44) $y + 26 = 53$ $y = 27$

45) $22 + y = 45$ $y = 23$ 46) $24 + y = 42$ $y = 18$ 47) $20 - y = 18$ $y = 2$ 48) $19 - y = 11$ $y = 8$

49) $18 + y = 46$ $y = 28$ 50) $27 - y = 4$ $y = 23$

FF) Solve for the variable.

1) y - 30 = -24 $\underline{y = 6}$ 2) y + 11 = 33 $\underline{y = 22}$ 3) 1 + y = 17 $\underline{y = 16}$ 4) 19 - y = 2 $\underline{y = 17}$

5) y - 28 = -1 $\underline{y = 27}$ 6) 18 - y = -6 $\underline{y = 24}$ 7) y - 30 = -11 $\underline{y = 19}$ 8) y - 8 = 19 $\underline{y = 27}$

9) y - 16 = 7 $\underline{y = 23}$ 10) 18 + y = 46 $\underline{y = 28}$ 11) 27 + y = 46 $\underline{y = 19}$ 12) 11 - y = 4 $\underline{y = 7}$

13) 25 - y = -5 $\underline{y = 30}$ 14) y + 23 = 28 $\underline{y = 5}$ 15) 18 - y = -3 $\underline{y = 21}$ 16) y + 17 = 37 $\underline{y = 20}$

17) 26 - y = 7 $\underline{y = 19}$ 18) 5 + y = 29 $\underline{y = 24}$ 19) 23 - y = -3 $\underline{y = 26}$ 20) 8 + y = 13 $\underline{y = 5}$

21) 11 - y = -11 $\underline{y = 22}$ 22) 11 - y = 1 $\underline{y = 10}$ 23) y - 4 = 26 $\underline{y = 30}$ 24) y + 22 = 33 $\underline{y = 11}$

25) y + 8 = 34 $\underline{y = 26}$ 26) y - 9 = 11 $\underline{y = 20}$ 27) y - 23 = -16 $\underline{y = 7}$ 28) 12 + y = 29 $\underline{y = 17}$

29) 20 - y = 5 $\underline{y = 15}$ 30) y - 2 = 15 $\underline{y = 17}$ 31) 12 - y = -15 $\underline{y = 27}$ 32) y - 7 = 23 $\underline{y = 30}$

33) y + 1 = 10 $\underline{y = 9}$ 34) y - 30 = -2 $\underline{y = 28}$ 35) 25 + y = 28 $\underline{y = 3}$ 36) 16 - y = -11 $\underline{y = 27}$

37) y + 14 = 22 $\underline{y = 8}$ 38) y - 6 = 11 $\underline{y = 17}$ 39) y + 21 = 29 $\underline{y = 8}$ 40) 20 + y = 33 $\underline{y = 13}$

41) 28 - y = 18 $\underline{y = 10}$ 42) 2 - y = -9 $\underline{y = 11}$ 43) 11 + y = 15 $\underline{y = 4}$ 44) 8 + y = 26 $\underline{y = 18}$

45) y - 8 = -4 $\underline{y = 4}$ 46) y - 7 = 3 $\underline{y = 10}$ 47) 23 - y = 8 $\underline{y = 15}$ 48) 22 - y = 17 $\underline{y = 5}$

49) 2 + y = 31 $\underline{y = 29}$ 50) y - 11 = -4 $\underline{y = 7}$

GG) Solve for the variable.

1) $y - 13 = -1$ $y = 12$ 2) $y + 19 = 41$ $y = 22$ 3) $12 + y = 31$ $y = 19$ 4) $y + 13 = 31$ $y = 18$

5) $30 + y = 35$ $y = 5$ 6) $y + 13 = 17$ $y = 4$ 7) $12 + y = 15$ $y = 3$ 8) $25 - y = 0$ $y = 25$

9) $5 + y = 11$ $y = 6$ 10) $15 + y = 22$ $y = 7$ 11) $25 - y = -1$ $y = 26$ 12) $y - 27 = -22$ $y = 5$

13) $22 + y = 32$ $y = 10$ 14) $30 + y = 47$ $y = 17$ 15) $y + 10 = 21$ $y = 11$ 16) $7 + y = 21$ $y = 14$

17) $y - 16 = -7$ $y = 9$ 18) $y + 12 = 21$ $y = 9$ 19) $14 - y = -8$ $y = 22$ 20) $y - 15 = 15$ $y = 30$

21) $y + 12 = 23$ $y = 11$ 22) $14 + y = 37$ $y = 23$ 23) $26 + y = 33$ $y = 7$ 24) $y - 19 = -8$ $y = 11$

25) $y + 5 = 12$ $y = 7$ 26) $18 + y = 22$ $y = 4$ 27) $30 - y = 8$ $y = 22$ 28) $y + 17 = 23$ $y = 6$

29) $8 + y = 33$ $y = 25$ 30) $28 + y = 30$ $y = 2$ 31) $20 - y = 19$ $y = 1$ 32) $y + 21 = 23$ $y = 2$

33) $y - 20 = 8$ $y = 28$ 34) $y - 13 = 12$ $y = 25$ 35) $y + 13 = 25$ $y = 12$ 36) $6 - y = -24$ $y = 30$

37) $26 - y = 12$ $y = 14$ 38) $y - 15 = -13$ $y = 2$ 39) $30 - y = 18$ $y = 12$ 40) $11 - y = 4$ $y = 7$

41) $22 + y = 25$ $y = 3$ 42) $15 + y = 32$ $y = 17$ 43) $10 + y = 33$ $y = 23$ 44) $y + 19 = 23$ $y = 4$

45) $25 - y = -3$ $y = 28$ 46) $26 + y = 37$ $y = 11$ 47) $y - 24 = -13$ $y = 11$ 48) $y - 6 = 19$ $y = 25$

49) $3 - y = -12$ $y = 15$ 50) $y + 24 = 48$ $y = 24$

HH) Solve for the variable.

1) 27 - y = -2 $y = 29$ 2) 3 + y = 16 $y = 13$ 3) y - 23 = -19 $y = 4$ 4) y + 12 = 20 $y = 8$

5) 3 - y = -15 $y = 18$ 6) y + 1 = 28 $y = 27$ 7) y - 18 = 4 $y = 22$ 8) y + 28 = 31 $y = 3$

9) 18 + y = 19 $y = 1$ 10) 6 + y = 10 $y = 4$ 11) y + 21 = 24 $y = 3$ 12) y + 2 = 15 $y = 13$

13) 10 + y = 11 $y = 1$ 14) 19 - y = 13 $y = 6$ 15) y + 19 = 47 $y = 28$ 16) 11 + y = 33 $y = 22$

17) y - 14 = 14 $y = 28$ 18) 3 + y = 23 $y = 20$ 19) y + 7 = 11 $y = 4$ 20) 17 - y = -11 $y = 28$

21) y - 6 = 17 $y = 23$ 22) y + 18 = 35 $y = 17$ 23) y - 18 = -13 $y = 5$ 24) 22 - y = -6 $y = 28$

25) y + 2 = 4 $y = 2$ 26) y - 28 = -2 $y = 26$ 27) y - 6 = 7 $y = 13$ 28) y + 7 = 33 $y = 26$

29) y - 1 = 15 $y = 16$ 30) 3 - y = -1 $y = 4$ 31) 5 + y = 8 $y = 3$ 32) y + 14 = 28 $y = 14$

33) 7 + y = 12 $y = 5$ 34) 4 + y = 12 $y = 8$ 35) 15 + y = 29 $y = 14$ 36) y + 11 = 36 $y = 25$

37) 15 + y = 24 $y = 9$ 38) 12 + y = 40 $y = 28$ 39) y + 25 = 29 $y = 4$ 40) y + 23 = 51 $y = 28$

41) 10 + y = 31 $y = 21$ 42) y - 27 = -23 $y = 4$ 43) 24 + y = 37 $y = 13$ 44) y + 22 = 31 $y = 9$

45) 19 - y = -8 $y = 27$ 46) y - 3 = 1 $y = 4$ 47) 4 - y = -10 $y = 14$ 48) 23 + y = 44 $y = 21$

49) y - 3 = 19 $y = 22$ 50) 11 - y = 10 $y = 1$

II) Solve for the variable.

1) $29 + y = 42$ $y = 13$ 2) $25 + y = 47$ $y = 22$ 3) $y + 12 = 33$ $y = 21$ 4) $19 - y = -2$ $y = 21$

5) $y - 5 = 2$ $y = 7$ 6) $1 - y = 0$ $y = 1$ 7) $y - 3 = 16$ $y = 19$ 8) $y + 10 = 18$ $y = 8$

9) $2 + y = 16$ $y = 14$ 10) $9 - y = -1$ $y = 10$ 11) $y + 30 = 37$ $y = 7$ 12) $15 - y = 0$ $y = 15$

13) $y + 17 = 34$ $y = 17$ 14) $y + 25 = 46$ $y = 21$ 15) $y + 18 = 41$ $y = 23$ 16) $15 + y = 33$ $y = 18$

17) $y - 27 = -9$ $y = 18$ 18) $y + 5 = 19$ $y = 14$ 19) $1 + y = 5$ $y = 4$ 20) $y + 15 = 44$ $y = 29$

21) $6 - y = -19$ $y = 25$ 22) $y + 13 = 19$ $y = 6$ 23) $5 - y = -11$ $y = 16$ 24) $y - 11 = 11$ $y = 22$

25) $25 + y = 34$ $y = 9$ 26) $y + 6 = 35$ $y = 29$ 27) $28 - y = 17$ $y = 11$ 28) $y - 30 = -18$ $y = 12$

29) $y - 11 = 18$ $y = 29$ 30) $y - 4 = 2$ $y = 6$ 31) $21 + y = 45$ $y = 24$ 32) $28 - y = 9$ $y = 19$

33) $21 - y = 8$ $y = 13$ 34) $13 + y = 36$ $y = 23$ 35) $10 - y = -18$ $y = 28$ 36) $15 - y = -10$ $y = 25$

37) $y - 13 = -8$ $y = 5$ 38) $y - 2 = 23$ $y = 25$ 39) $11 + y = 12$ $y = 1$ 40) $y + 11 = 36$ $y = 25$

41) $1 + y = 15$ $y = 14$ 42) $y - 10 = 10$ $y = 20$ 43) $y - 8 = 13$ $y = 21$ 44) $y + 15 = 30$ $y = 15$

45) $6 + y = 27$ $y = 21$ 46) $28 - y = 3$ $y = 25$ 47) $24 + y = 36$ $y = 12$ 48) $y + 17 = 44$ $y = 27$

49) $22 + y = 44$ $y = 22$ 50) $3 + y = 33$ $y = 30$

JJ) Solve for the variable.

1) $27 + y = 52$ $y = 25$ 2) $13 + y = 27$ $y = 14$ 3) $12 + y = 39$ $y = 27$ 4) $4 - y = -23$ $y = 27$

5) $16 + y = 22$ $y = 6$ 6) $y + 11 = 27$ $y = 16$ 7) $y - 2 = 12$ $y = 14$ 8) $y - 17 = -8$ $y = 9$

9) $17 - y = 13$ $y = 4$ 10) $13 + y = 14$ $y = 1$ 11) $20 + y = 34$ $y = 14$ 12) $y - 21 = 6$ $y = 27$

13) $22 + y = 47$ $y = 25$ 14) $y - 18 = 6$ $y = 24$ 15) $12 + y = 14$ $y = 2$ 16) $13 + y = 26$ $y = 13$

17) $14 + y = 37$ $y = 23$ 18) $26 - y = 12$ $y = 14$ 19) $19 - y = 4$ $y = 15$ 20) $1 + y = 4$ $y = 3$

21) $13 - y = 12$ $y = 1$ 22) $20 - y = -5$ $y = 25$ 23) $18 + y = 34$ $y = 16$ 24) $21 - y = -8$ $y = 29$

25) $y - 28 = -5$ $y = 23$ 26) $y - 26 = -5$ $y = 21$ 27) $22 + y = 37$ $y = 15$ 28) $14 - y = 1$ $y = 13$

29) $28 - y = 6$ $y = 22$ 30) $22 + y = 40$ $y = 18$ 31) $y - 16 = -12$ $y = 4$ 32) $y + 15 = 31$ $y = 16$

33) $23 - y = 20$ $y = 3$ 34) $y - 25 = -19$ $y = 6$ 35) $28 - y = 25$ $y = 3$ 36) $3 + y = 13$ $y = 10$

37) $19 - y = 0$ $y = 19$ 38) $y + 2 = 27$ $y = 25$ 39) $y + 7 = 11$ $y = 4$ 40) $y + 25 = 29$ $y = 4$

41) $12 - y = -6$ $y = 18$ 42) $y + 29 = 51$ $y = 22$ 43) $y + 13 = 23$ $y = 10$ 44) $y + 28 = 44$ $y = 16$

45) $y - 13 = 10$ $y = 23$ 46) $y + 28 = 58$ $y = 30$ 47) $16 - y = 10$ $y = 6$ 48) $y + 15 = 18$ $y = 3$

49) $19 + y = 49$ $y = 30$ 50) $y + 29 = 53$ $y = 24$

KK) Solve for the variable.

1) $y + 19 = 39$ $y = 20$ 2) $19 - y = 8$ $y = 11$ 3) $y + 8 = 30$ $y = 22$ 4) $y - 21 = 6$ $y = 27$

5) $1 + y = 25$ $y = 24$ 6) $2 + y = 28$ $y = 26$ 7) $y + 20 = 28$ $y = 8$ 8) $26 - y = 25$ $y = 1$

9) $17 + y = 32$ $y = 15$ 10) $9 - y = -1$ $y = 10$ 11) $y - 29 = -11$ $y = 18$ 12) $y + 12 = 27$ $y = 15$

13) $21 + y = 31$ $y = 10$ 14) $y + 10 = 38$ $y = 28$ 15) $13 - y = -11$ $y = 24$ 16) $y + 15 = 17$ $y = 2$

17) $y - 5 = 0$ $y = 5$ 18) $13 - y = 3$ $y = 10$ 19) $23 + y = 33$ $y = 10$ 20) $y + 20 = 37$ $y = 17$

21) $y - 28 = -4$ $y = 24$ 22) $15 - y = -1$ $y = 16$ 23) $y + 19 = 23$ $y = 4$ 24) $24 + y = 31$ $y = 7$

25) $y - 5 = 23$ $y = 28$ 26) $29 - y = 21$ $y = 8$ 27) $28 + y = 54$ $y = 26$ 28) $y - 21 = 7$ $y = 28$

29) $5 + y = 12$ $y = 7$ 30) $y + 12 = 32$ $y = 20$ 31) $10 - y = -7$ $y = 17$ 32) $y - 7 = 2$ $y = 9$

33) $22 + y = 40$ $y = 18$ 34) $y - 4 = 18$ $y = 22$ 35) $7 - y = -10$ $y = 17$ 36) $8 + y = 15$ $y = 7$

37) $28 + y = 48$ $y = 20$ 38) $y - 20 = -3$ $y = 17$ 39) $y - 30 = -15$ $y = 15$ 40) $y + 3 = 12$ $y = 9$

41) $y - 22 = -5$ $y = 17$ 42) $y + 9 = 21$ $y = 12$ 43) $26 - y = 1$ $y = 25$ 44) $17 - y = 8$ $y = 9$

45) $y + 22 = 30$ $y = 8$ 46) $y - 16 = -10$ $y = 6$ 47) $21 + y = 26$ $y = 5$ 48) $y + 7 = 17$ $y = 10$

49) $y + 8 = 28$ $y = 20$ 50) $y - 17 = 7$ $y = 24$

LL) Solve for the variable.

1) $28 - y = 0$ $y = 28$ 2) $22 - y = 7$ $y = 15$ 3) $y + 3 = 19$ $y = 16$ 4) $y - 10 = 4$ $y = 14$

5) $16 + y = 40$ $y = 24$ 6) $y + 19 = 30$ $y = 11$ 7) $6 - y = -19$ $y = 25$ 8) $23 - y = 5$ $y = 18$

9) $y + 27 = 42$ $y = 15$ 10) $9 - y = 2$ $y = 7$ 11) $y - 25 = -18$ $y = 7$ 12) $1 + y = 14$ $y = 13$

13) $10 - y = 9$ $y = 1$ 14) $21 + y = 50$ $y = 29$ 15) $y + 11 = 35$ $y = 24$ 16) $19 + y = 26$ $y = 7$

17) $y - 5 = 6$ $y = 11$ 18) $y + 21 = 26$ $y = 5$ 19) $12 - y = 6$ $y = 6$ 20) $y + 5 = 22$ $y = 17$

21) $y - 22 = -19$ $y = 3$ 22) $19 - y = 5$ $y = 14$ 23) $y - 19 = 2$ $y = 21$ 24) $19 - y = 0$ $y = 19$

25) $10 + y = 14$ $y = 4$ 26) $2 - y = -11$ $y = 13$ 27) $11 + y = 15$ $y = 4$ 28) $y - 26 = -13$ $y = 13$

29) $14 - y = 11$ $y = 3$ 30) $y - 13 = 11$ $y = 24$ 31) $y + 18 = 38$ $y = 20$ 32) $1 - y = -29$ $y = 30$

33) $y + 29 = 59$ $y = 30$ 34) $15 - y = -4$ $y = 19$ 35) $y - 25 = -12$ $y = 13$ 36) $16 - y = 12$ $y = 4$

37) $y - 2 = 19$ $y = 21$ 38) $23 + y = 47$ $y = 24$ 39) $8 + y = 26$ $y = 18$ 40) $23 - y = 2$ $y = 21$

41) $y + 2 = 15$ $y = 13$ 42) $19 - y = -1$ $y = 20$ 43) $y - 7 = 3$ $y = 10$ 44) $y - 7 = 20$ $y = 27$

45) $y + 10 = 32$ $y = 22$ 46) $7 - y = -2$ $y = 9$ 47) $y + 4 = 16$ $y = 12$ 48) $y - 15 = 1$ $y = 16$

49) $22 + y = 41$ $y = 19$ 50) $14 + y = 36$ $y = 22$

MM) Solve for the variable.

1) $y + 9 = 30$ $\underline{y = 21}$ 2) $12 + y = 17$ $\underline{y = 5}$ 3) $29 - y = 16$ $\underline{y = 13}$ 4) $11 - y = -19$ $\underline{y = 30}$

5) $y + 21 = 44$ $\underline{y = 23}$ 6) $y + 16 = 32$ $\underline{y = 16}$ 7) $15 - y = -3$ $\underline{y = 18}$ 8) $y - 19 = 8$ $\underline{y = 27}$

9) $30 - y = 27$ $\underline{y = 3}$ 10) $y - 21 = 0$ $\underline{y = 21}$ 11) $y - 3 = 10$ $\underline{y = 13}$ 12) $14 - y = 12$ $\underline{y = 2}$

13) $29 + y = 33$ $\underline{y = 4}$ 14) $27 - y = -2$ $\underline{y = 29}$ 15) $26 - y = 11$ $\underline{y = 15}$ 16) $y + 11 = 17$ $\underline{y = 6}$

17) $y - 9 = 18$ $\underline{y = 27}$ 18) $17 + y = 27$ $\underline{y = 10}$ 19) $y + 24 = 39$ $\underline{y = 15}$ 20) $16 + y = 41$ $\underline{y = 25}$

21) $y + 21 = 48$ $\underline{y = 27}$ 22) $19 - y = 4$ $\underline{y = 15}$ 23) $y - 8 = 10$ $\underline{y = 18}$ 24) $17 - y = 6$ $\underline{y = 11}$

25) $y - 13 = 1$ $\underline{y = 14}$ 26) $y - 7 = 17$ $\underline{y = 24}$ 27) $y - 26 = -11$ $\underline{y = 15}$ 28) $y - 18 = -11$ $\underline{y = 7}$

29) $25 - y = 14$ $\underline{y = 11}$ 30) $y - 25 = -18$ $\underline{y = 7}$ 31) $16 + y = 28$ $\underline{y = 12}$ 32) $5 - y = -3$ $\underline{y = 8}$

33) $15 - y = 10$ $\underline{y = 5}$ 34) $y - 7 = 13$ $\underline{y = 20}$ 35) $y + 18 = 19$ $\underline{y = 1}$ 36) $y + 6 = 11$ $\underline{y = 5}$

37) $18 + y = 45$ $\underline{y = 27}$ 38) $y - 22 = 3$ $\underline{y = 25}$ 39) $y + 29 = 44$ $\underline{y = 15}$ 40) $y + 22 = 36$ $\underline{y = 14}$

41) $18 - y = 1$ $\underline{y = 17}$ 42) $y + 14 = 29$ $\underline{y = 15}$ 43) $22 - y = -8$ $\underline{y = 30}$ 44) $y - 1 = 26$ $\underline{y = 27}$

45) $y + 30 = 32$ $\underline{y = 2}$ 46) $15 - y = 11$ $\underline{y = 4}$ 47) $y - 22 = -5$ $\underline{y = 17}$ 48) $y + 15 = 24$ $\underline{y = 9}$

49) $17 + y = 28$ $\underline{y = 11}$ 50) $30 + y = 43$ $\underline{y = 13}$

NN) Solve for the variable.

1) y - 2 = 46 y = 48   2) 29 + y = 37 y = 8   3) 14 + y = 59 y = 45   4) y + 5 = 46 y = 41

5) 27 - y = 9 y = 18   6) y - 3 = 17 y = 20   7) 26 - y = -3 y = 29   8) y + 13 = 62 y = 49

9) 30 + y = 49 y = 19   10) y - 22 = 28 y = 50   11) y - 32 = -31 y = 1   12) 10 - y = 1 y = 9

13) y - 17 = 31 y = 48   14) 27 - y = 23 y = 4   15) y - 10 = 18 y = 28   16) y + 10 = 32 y = 22

17) 44 + y = 46 y = 2   18) 11 - y = -5 y = 16   19) y + 4 = 32 y = 28   20) y - 1 = 41 y = 42

21) y - 50 = -40 y = 10 22) 25 + y = 47 y = 22   23) 23 + y = 40 y = 17   24) y - 26 = 0 y = 26

25) 36 + y = 70 y = 34   26) 40 + y = 78 y = 38   27) 35 - y = 12 y = 23   28) 27 + y = 43 y = 16

29) 43 + y = 64 y = 21   30) y + 48 = 58 y = 10   31) y - 38 = -19 y = 19   32) y + 18 = 46 y = 28

33) y + 10 = 57 y = 47   34) y + 25 = 35 y = 10   35) 19 - y = -14 y = 33   36) y + 27 = 62 y = 35

37) y + 49 = 77 y = 28   38) y + 1 = 13 y = 12   39) 8 - y = -30 y = 38   40) 36 - y = 4 y = 32

41) y - 2 = 39 y = 41   42) y + 44 = 63 y = 19   43) y + 34 = 54 y = 20   44) 25 + y = 70 y = 45

45) 24 - y = 16 y = 8   46) y - 44 = 0 y = 44   47) y + 23 = 56 y = 33   48) 23 + y = 30 y = 7

49) 26 - y = 12 y = 14   50) 8 + y = 10 y = 2

OO) Solve for the variable.

1) $36 - y = 32$ $y = 4$ 2) $30 - y = 28$ $y = 2$ 3) $y + 35 = 68$ $y = 33$ 4) $22 + y = 72$ $y = 50$

5) $y - 35 = 2$ $y = 37$ 6) $y - 3 = 46$ $y = 49$ 7) $y + 13 = 58$ $y = 45$ 8) $22 - y = -18$ $y = 40$

9) $17 - y = -11$ $y = 28$ 10) $y - 21 = 5$ $y = 26$ 11) $36 - y = 15$ $y = 21$ 12) $y - 26 = -18$ $y = 8$

13) $y + 11 = 51$ $y = 40$ 14) $y - 11 = 25$ $y = 36$ 15) $9 - y = -35$ $y = 44$ 16) $14 + y = 43$ $y = 29$

17) $y - 23 = 14$ $y = 37$ 18) $y + 48 = 91$ $y = 43$ 19) $y + 46 = 76$ $y = 30$ 20) $1 + y = 4$ $y = 3$

21) $46 - y = 3$ $y = 43$ 22) $y - 14 = 1$ $y = 15$ 23) $37 + y = 82$ $y = 45$ 24) $y + 16 = 55$ $y = 39$

25) $44 - y = 40$ $y = 4$ 26) $38 + y = 79$ $y = 41$ 27) $y - 3 = 13$ $y = 16$ 28) $y + 15 = 57$ $y = 42$

29) $46 - y = 41$ $y = 5$ 30) $12 + y = 35$ $y = 23$ 31) $y + 12 = 62$ $y = 50$ 32) $y + 43 = 84$ $y = 41$

33) $22 - y = 2$ $y = 20$ 34) $16 + y = 39$ $y = 23$ 35) $21 + y = 45$ $y = 24$ 36) $y - 22 = -11$ $y = 11$

37) $27 - y = 4$ $y = 23$ 38) $y + 43 = 68$ $y = 25$ 39) $6 - y = -39$ $y = 45$ 40) $39 + y = 85$ $y = 46$

41) $17 - y = 11$ $y = 6$ 42) $7 + y = 31$ $y = 24$ 43) $14 + y = 49$ $y = 35$ 44) $y - 28 = 3$ $y = 31$

45) $3 - y = -23$ $y = 26$ 46) $y + 29 = 63$ $y = 34$ 47) $y - 35 = -31$ $y = 4$ 48) $3 - y = -19$ $y = 22$

49) $y - 18 = 25$ $y = 43$ 50) $29 + y = 46$ $y = 17$

PP) Solve for the variable.

1) $21 - y = -13$ $\underline{y = 34}$ 2) $5 + y = 53$ $\underline{y = 48}$ 3) $y - 28 = -22$ $\underline{y = 6}$ 4) $38 + y = 49$ $\underline{y = 11}$

5) $y + 36 = 49$ $\underline{y = 13}$ 6) $10 - y = -8$ $\underline{y = 18}$ 7) $32 + y = 49$ $\underline{y = 17}$ 8) $34 + y = 41$ $\underline{y = 7}$

9) $y - 4 = 7$ $\underline{y = 11}$ 10) $12 + y = 46$ $\underline{y = 34}$ 11) $y - 7 = 27$ $\underline{y = 34}$ 12) $y - 43 = -29$ $\underline{y = 14}$

13) $27 - y = -12$ $\underline{y = 39}$ 14) $12 + y = 44$ $\underline{y = 32}$ 15) $y + 18 = 64$ $\underline{y = 46}$ 16) $y + 13 = 33$ $\underline{y = 20}$

17) $19 - y = 4$ $\underline{y = 15}$ 18) $35 - y = 23$ $\underline{y = 12}$ 19) $5 + y = 13$ $\underline{y = 8}$ 20) $y + 48 = 84$ $\underline{y = 36}$

21) $31 - y = 24$ $\underline{y = 7}$ 22) $y - 42 = -16$ $\underline{y = 26}$ 23) $31 - y = 23$ $\underline{y = 8}$ 24) $y + 39 = 64$ $\underline{y = 25}$

25) $y - 11 = 21$ $\underline{y = 32}$ 26) $y - 2 = 41$ $\underline{y = 43}$ 27) $9 + y = 21$ $\underline{y = 12}$ 28) $y - 15 = -8$ $\underline{y = 7}$

29) $y + 12 = 33$ $\underline{y = 21}$ 30) $y + 18 = 39$ $\underline{y = 21}$ 31) $17 - y = 10$ $\underline{y = 7}$ 32) $y + 46 = 62$ $\underline{y = 16}$

33) $y + 47 = 63$ $\underline{y = 16}$ 34) $50 - y = 32$ $\underline{y = 18}$ 35) $32 + y = 54$ $\underline{y = 22}$ 36) $y - 3 = -1$ $\underline{y = 2}$

37) $y - 14 = 4$ $\underline{y = 18}$ 38) $4 - y = -23$ $\underline{y = 27}$ 39) $31 + y = 54$ $\underline{y = 23}$ 40) $12 - y = -8$ $\underline{y = 20}$

41) $14 + y = 38$ $\underline{y = 24}$ 42) $y + 35 = 85$ $\underline{y = 50}$ 43) $y + 19 = 44$ $\underline{y = 25}$ 44) $y - 8 = -4$ $\underline{y = 4}$

45) $y - 21 = -12$ $\underline{y = 9}$ 46) $y + 43 = 85$ $\underline{y = 42}$ 47) $y + 19 = 57$ $\underline{y = 38}$ 48) $y - 25 = 6$ $\underline{y = 31}$

49) $41 - y = 10$ $\underline{y = 31}$ 50) $26 - y = -9$ $\underline{y = 35}$

42

QQ)   Solve for the variable.

1) $y + 18 = 45$ $y = 27$ 2) $30 + y = 36$ $y = 6$ 3) $y + 7 = 25$ $y = 18$ 4) $9 + y = 50$ $y = 41$

5) $47 - y = 32$ $y = 15$ 6) $y - 24 = 23$ $y = 47$ 7) $y - 10 = -2$ $y = 8$ 8) $30 + y = 79$ $y = 49$

9) $1 - y = -6$ $y = 7$ 10) $30 - y = 11$ $y = 19$ 11) $11 - y = 2$ $y = 9$ 12) $11 + y = 16$ $y = 5$

13) $45 - y = -3$ $y = 48$ 14) $y + 34 = 81$ $y = 47$ 15) $y + 28 = 54$ $y = 26$ 16) $y + 2 = 4$ $y = 2$

17) $y + 29 = 31$ $y = 2$ 18) $6 + y = 50$ $y = 44$ 19) $y + 28 = 39$ $y = 11$ 20) $y - 20 = 1$ $y = 21$

21) $33 + y = 83$ $y = 50$ 22) $6 - y = -4$ $y = 10$ 23) $y - 46 = -38$ $y = 8$ 24) $y - 42 = -17$ $y = 25$

25) $7 + y = 51$ $y = 44$ 26) $10 + y = 34$ $y = 24$ 27) $y - 22 = 14$ $y = 36$ 28) $30 - y = 12$ $y = 18$

29) $y - 26 = -18$ $y = 8$ 30) $11 + y = 31$ $y = 20$ 31) $y + 25 = 35$ $y = 10$ 32) $15 - y = -5$ $y = 20$

33) $13 + y = 59$ $y = 46$ 34) $23 + y = 52$ $y = 29$ 35) $4 + y = 40$ $y = 36$ 36) $38 - y = 15$ $y = 23$

37) $37 - y = 26$ $y = 11$ 38) $y + 12 = 49$ $y = 37$ 39) $y - 2 = 1$ $y = 3$ 40) $y + 50 = 97$ $y = 47$

41) $y - 6 = 18$ $y = 24$ 42) $28 + y = 60$ $y = 32$ 43) $y + 28 = 46$ $y = 18$ 44) $17 + y = 48$ $y = 31$

45) $50 - y = 12$ $y = 38$ 46) $y + 36 = 73$ $y = 37$ 47) $17 + y = 18$ $y = 1$ 48) $y - 8 = 2$ $y = 10$

49) $35 - y = -2$ $y = 37$ 50) $47 - y = 35$ $y = 12$

RR) Solve for the variable.

1) $y + 17 = 49$ $y = 32$ 2) $17 - y = -7$ $y = 24$ 3) $36 - y = 19$ $y = 17$ 4) $36 - y = -6$ $y = 42$

5) $y + 30 = 69$ $y = 39$ 6) $y - 23 = -5$ $y = 18$ 7) $y + 34 = 67$ $y = 33$ 8) $y - 18 = -14$ $y = 4$

9) $24 + y = 65$ $y = 41$ 10) $26 - y = 3$ $y = 23$ 11) $19 - y = 16$ $y = 3$ 12) $y - 43 = -40$ $y = 3$

13) $y - 43 = -29$ $y = 14$ 14) $39 + y = 67$ $y = 28$ 15) $13 - y = -4$ $y = 17$ 16) $y + 23 = 24$ $y = 1$

17) $y - 13 = 12$ $y = 25$ 18) $19 - y = -12$ $y = 31$ 19) $y + 28 = 36$ $y = 8$ 20) $44 + y = 85$ $y = 41$

21) $43 + y = 45$ $y = 2$ 22) $26 + y = 40$ $y = 14$ 23) $y + 42 = 90$ $y = 48$ 24) $y + 15 = 22$ $y = 7$

25) $y + 28 = 52$ $y = 24$ 26) $y - 33 = -21$ $y = 12$ 27) $y + 35 = 45$ $y = 10$ 28) $9 + y = 39$ $y = 30$

29) $15 - y = -9$ $y = 24$ 30) $y + 44 = 54$ $y = 10$ 31) $29 - y = 21$ $y = 8$ 32) $y - 22 = 7$ $y = 29$

33) $y + 45 = 75$ $y = 30$ 34) $49 + y = 69$ $y = 20$ 35) $y + 23 = 38$ $y = 15$ 36) $11 + y = 57$ $y = 46$

37) $47 - y = 12$ $y = 35$ 38) $y - 18 = 13$ $y = 31$ 39) $28 - y = -12$ $y = 40$ 40) $y - 23 = 22$ $y = 45$

41) $y - 24 = 13$ $y = 37$ 42) $4 - y = -32$ $y = 36$ 43) $5 - y = -13$ $y = 18$ 44) $13 + y = 54$ $y = 41$

45) $5 - y = -34$ $y = 39$ 46) $17 + y = 51$ $y = 34$ 47) $y - 50 = -31$ $y = 19$ 48) $12 + y = 47$ $y = 35$

49) $y + 4 = 27$ $y = 23$ 50) $34 + y = 38$ $y = 4$

SS) Solve for the variable.

1) $y - 17 = 3$ $y = 20$ 2) $y - 5 = 24$ $y = 29$ 3) $y - 24 = 15$ $y = 39$ 4) $11 + y = 52$ $y = 41$

5) $9 + y = 58$ $y = 49$ 6) $14 - y = 5$ $y = 9$ 7) $y - 20 = -12$ $y = 8$ 8) $y + 35 = 38$ $y = 3$

9) $26 - y = -13$ $y = 39$ 10) $y - 43 = -2$ $y = 41$ 11) $23 - y = 5$ $y = 18$ 12) $47 - y = 12$ $y = 35$

13) $y + 45 = 72$ $y = 27$ 14) $12 - y = -32$ $y = 44$ 15) $y - 44 = 3$ $y = 47$ 16) $y - 26 = -6$ $y = 20$

17) $y - 18 = -13$ $y = 5$ 18) $50 - y = 1$ $y = 49$ 19) $y - 13 = 20$ $y = 33$ 20) $29 - y = 3$ $y = 26$

21) $17 + y = 18$ $y = 1$ 22) $44 - y = 39$ $y = 5$ 23) $y + 9 = 33$ $y = 24$ 24) $35 + y = 46$ $y = 11$

25) $y - 45 = -29$ $y = 16$ 26) $2 + y = 28$ $y = 26$ 27) $17 + y = 26$ $y = 9$ 28) $y + 3 = 13$ $y = 10$

29) $20 - y = -25$ $y = 45$ 30) $y - 44 = -16$ $y = 28$ 31) $y - 17 = -4$ $y = 13$ 32) $y + 16 = 61$ $y = 45$

33) $y - 38 = -9$ $y = 29$ 34) $y - 41 = -36$ $y = 5$ 35) $20 - y = 15$ $y = 5$ 36) $3 + y = 17$ $y = 14$

37) $10 - y = -5$ $y = 15$ 38) $y + 22 = 48$ $y = 26$ 39) $y + 43 = 67$ $y = 24$ 40) $11 + y = 29$ $y = 18$

41) $y - 2 = 9$ $y = 11$ 42) $28 - y = 26$ $y = 2$ 43) $42 + y = 86$ $y = 44$ 44) $y - 46 = -36$ $y = 10$

45) $8 + y = 56$ $y = 48$ 46) $30 + y = 68$ $y = 38$ 47) $y - 36 = -1$ $y = 35$ 48) $y + 1 = 15$ $y = 14$

49) $y + 29 = 36$ $y = 7$ 50) $26 + y = 63$ $y = 37$

TT) Solve for the variable.

1) $y - 11 = 9$ $y = 20$ 2) $12 - y = 10$ $y = 2$ 3) $30 + y = 74$ $y = 44$ 4) $34 - y = -4$ $y = 38$

5) $y - 33 = 16$ $y = 49$ 6) $y - 15 = -3$ $y = 12$ 7) $25 - y = -14$ $y = 39$ 8) $y + 41 = 68$ $y = 27$

9) $10 - y = -2$ $y = 12$ 10) $y + 33 = 80$ $y = 47$ 11) $36 + y = 53$ $y = 17$ 12) $y + 22 = 33$ $y = 11$

13) $35 - y = 31$ $y = 4$ 14) $33 - y = 14$ $y = 19$ 15) $y + 33 = 76$ $y = 43$ 16) $43 - y = 18$ $y = 25$

17) $21 + y = 51$ $y = 30$ 18) $y - 15 = 17$ $y = 32$ 19) $34 - y = -15$ $y = 49$ 20) $y + 2 = 7$ $y = 5$

21) $42 - y = 25$ $y = 17$ 22) $y - 31 = -11$ $y = 20$ 23) $y - 3 = 5$ $y = 8$ 24) $18 - y = 14$ $y = 4$

25) $19 - y = 13$ $y = 6$ 26) $48 + y = 80$ $y = 32$ 27) $y - 26 = 16$ $y = 42$ 28) $15 + y = 19$ $y = 4$

29) $50 + y = 90$ $y = 40$ 30) $y + 26 = 43$ $y = 17$ 31) $12 + y = 27$ $y = 15$ 32) $45 - y = 29$ $y = 16$

33) $41 - y = 4$ $y = 37$ 34) $45 + y = 91$ $y = 46$ 35) $8 - y = -4$ $y = 12$ 36) $8 + y = 20$ $y = 12$

37) $y + 45 = 53$ $y = 8$ 38) $y - 19 = 22$ $y = 41$ 39) $y - 31 = 16$ $y = 47$ 40) $y - 33 = -19$ $y = 14$

41) $y - 30 = 6$ $y = 36$ 42) $1 - y = -37$ $y = 38$ 43) $36 - y = 25$ $y = 11$ 44) $33 - y = -13$ $y = 46$

45) $15 - y = -13$ $y = 28$ 46) $y + 44 = 60$ $y = 16$ 47) $32 - y = 3$ $y = 29$ 48) $41 - y = 14$ $y = 27$

49) $y + 5 = 28$ $y = 23$ 50) $41 - y = 20$ $y = 21$

UU) Solve for the variable.

1) $y - 46 = -21$ $y = 25$ 2) $y + 38 = 86$ $y = 48$ 3) $y + 34 = 73$ $y = 39$ 4) $y + 46 = 78$ $y = 32$

5) $44 - y = 15$ $y = 29$ 6) $y + 17 = 37$ $y = 20$ 7) $46 + y = 60$ $y = 14$ 8) $10 - y = -24$ $y = 34$

9) $y + 23 = 55$ $y = 32$ 10) $23 + y = 72$ $y = 49$ 11) $y + 7 = 31$ $y = 24$ 12) $y - 25 = 10$ $y = 35$

13) $15 + y = 23$ $y = 8$ 14) $9 - y = -21$ $y = 30$ 15) $y - 39 = -34$ $y = 5$ 16) $35 - y = 14$ $y = 21$

17) $y + 22 = 27$ $y = 5$ 18) $y + 21 = 44$ $y = 23$ 19) $30 - y = 26$ $y = 4$ 20) $y - 34 = -13$ $y = 21$

21) $y - 31 = 13$ $y = 44$ 22) $4 + y = 46$ $y = 42$ 23) $y - 35 = -34$ $y = 1$ 24) $y + 14 = 31$ $y = 17$

25) $y + 17 = 48$ $y = 31$ 26) $y + 5 = 42$ $y = 37$ 27) $47 - y = 40$ $y = 7$ 28) $y + 18 = 23$ $y = 5$

29) $12 - y = -11$ $y = 23$ 30) $23 - y = -9$ $y = 32$ 31) $y - 2 = 23$ $y = 25$ 32) $42 + y = 47$ $y = 5$

33) $44 - y = -6$ $y = 50$ 34) $y + 24 = 37$ $y = 13$ 35) $y - 40 = 2$ $y = 42$ 36) $y - 28 = -24$ $y = 4$

37) $3 + y = 43$ $y = 40$ 38) $6 - y = -37$ $y = 43$ 39) $y - 43 = -40$ $y = 3$ 40) $y - 31 = -7$ $y = 24$

41) $y + 45 = 87$ $y = 42$ 42) $y + 38 = 87$ $y = 49$ 43) $3 + y = 34$ $y = 31$ 44) $24 - y = -24$ $y = 48$

45) $18 - y = 13$ $y = 5$ 46) $y - 8 = 1$ $y = 9$ 47) $32 + y = 72$ $y = 40$ 48) $y - 43 = -34$ $y = 9$

49) $y + 50 = 89$ $y = 39$ 50) $48 + y = 50$ $y = 2$

VV) Solve for the variable.

1) $48 - y = 45$ $y = 3$ 2) $19 + y = 31$ $y = 12$ 3) $16 - y = -10$ $y = 26$ 4) $y + 39 = 62$ $y = 23$

5) $y - 31 = -20$ $y = 11$ 6) $y + 18 = 30$ $y = 12$ 7) $33 + y = 78$ $y = 45$ 8) $y + 49 = 60$ $y = 11$

9) $y + 26 = 56$ $y = 30$ 10) $y + 42 = 59$ $y = 17$ 11) $39 - y = 8$ $y = 31$ 12) $y - 49 = -8$ $y = 41$

13) $y + 34 = 74$ $y = 40$ 14) $y - 23 = -12$ $y = 11$ 15) $y + 22 = 69$ $y = 47$ 16) $y + 43 = 62$ $y = 19$

17) $12 - y = -13$ $y = 25$ 18) $19 - y = -25$ $y = 44$ 19) $y + 28 = 55$ $y = 27$ 20) $14 - y = -17$ $y = 31$

21) $37 - y = 12$ $y = 25$ 22) $y - 18 = -12$ $y = 6$ 23) $y - 40 = 1$ $y = 41$ 24) $33 - y = 14$ $y = 19$

25) $y + 6 = 36$ $y = 30$ 26) $1 + y = 43$ $y = 42$ 27) $34 - y = 26$ $y = 8$ 28) $y + 18 = 28$ $y = 10$

29) $y - 20 = -8$ $y = 12$ 30) $y - 33 = -10$ $y = 23$ 31) $16 - y = -34$ $y = 50$ 32) $43 - y = 4$ $y = 39$

33) $6 - y = -2$ $y = 8$ 34) $27 + y = 44$ $y = 17$ 35) $y + 3 = 26$ $y = 23$ 36) $y + 36 = 48$ $y = 12$

37) $y - 15 = -10$ $y = 5$ 38) $y - 23 = 3$ $y = 26$ 39) $9 - y = -41$ $y = 50$ 40) $y + 43 = 44$ $y = 1$

41) $y + 42 = 85$ $y = 43$ 42) $y - 28 = -6$ $y = 22$ 43) $y - 4 = 5$ $y = 9$ 44) $16 - y = 15$ $y = 1$

45) $y + 7 = 40$ $y = 33$ 46) $5 + y = 37$ $y = 32$ 47) $y - 38 = -22$ $y = 16$ 48) $32 - y = 14$ $y = 18$

49) $7 - y = -14$ $y = 21$ 50) $35 - y = 9$ $y = 26$

WW) Solve for the variable.

1) y - 38 = 6 y = 44   2) 40 + y = 66 y = 26 3) 17 + y = 28 y = 11 4) y - 44 = -33 y = 11

5) y + 20 = 40 y = 20 6) y + 47 = 49 y = 2   7) y + 35 = 64 y = 29 8) y + 1 = 4 y = 3

9) y + 17 = 44 y = 27 10) y + 26 = 38 y = 12 11) 31 + y = 43 y = 12 12) 10 - y = -22 y = 32

13) y - 14 = -4 y = 10 14) y - 27 = 15 y = 42 15) 44 - y = 31 y = 13 16) 26 - y = 23 y = 3

17) 3 - y = -2 y = 5   18) y + 21 = 56 y = 35 19) 38 + y = 84 y = 46 20) y + 46 = 87 y = 41

21) 11 + y = 35 y = 24 22) y + 30 = 46 y = 16 23) y - 7 = 42 y = 49   24) 39 - y = 2 y = 37

25) y + 48 = 91 y = 43 26) 12 - y = -37 y = 49 27) y + 37 = 83 y = 46 28) y - 33 = 15 y = 48

29) 28 + y = 36 y = 8   30) 16 + y = 19 y = 3   31) y + 35 = 55 y = 20 32) 50 + y = 58 y = 8

33) y - 49 = -5 y = 44 34) y + 25 = 69 y = 44 35) y + 32 = 33 y = 1   36) y - 32 = -18 y = 14

37) y - 16 = 10 y = 26 38) 15 + y = 23 y = 8   39) 46 - y = 16 y = 30 40) y + 4 = 37 y = 33

41) y + 6 = 32 y = 26   42) y - 47 = -12 y = 35 43) y - 28 = -27 y = 1 44) 7 - y = -10 y = 17

45) 7 - y = 4 y = 3   46) 43 - y = 13 y = 30 47) y - 38 = -8 y = 30 48) y + 27 = 54 y = 27

49) y + 9 = 33 y = 24   50) 36 + y = 37 y = 1

XX) Solve for the variable.

1) $7 + y = 47$ $\underline{y = 40}$ 2) $y + 21 = 25$ $\underline{y = 4}$ 3) $6 + y = 55$ $\underline{y = 49}$ 4) $36 - y = 2$ $\underline{y = 34}$

5) $26 - y = -13$ $\underline{y = 39}$ 6) $46 - y = 10$ $\underline{y = 36}$ 7) $50 + y = 68$ $\underline{y = 18}$ 8) $y + 35 = 68$ $\underline{y = 33}$

9) $48 - y = 25$ $\underline{y = 23}$ 10) $y - 16 = -12$ $\underline{y = 4}$ 11) $y - 11 = 20$ $\underline{y = 31}$ 12) $y - 27 = -14$ $\underline{y = 13}$

13) $y + 39 = 57$ $\underline{y = 18}$ 14) $20 - y = 9$ $\underline{y = 11}$ 15) $34 - y = -10$ $\underline{y = 44}$ 16) $y + 29 = 70$ $\underline{y = 41}$

17) $y + 49 = 64$ $\underline{y = 15}$ 18) $23 - y = -24$ $\underline{y = 47}$ 19) $y - 7 = 20$ $\underline{y = 27}$ 20) $y + 48 = 81$ $\underline{y = 33}$

21) $39 - y = 2$ $\underline{y = 37}$ 22) $17 + y = 67$ $\underline{y = 50}$ 23) $y - 6 = 39$ $\underline{y = 45}$ 24) $10 - y = -33$ $\underline{y = 43}$

25) $y - 31 = -5$ $\underline{y = 26}$ 26) $y + 47 = 73$ $\underline{y = 26}$ 27) $y + 15 = 38$ $\underline{y = 23}$ 28) $32 - y = -14$ $\underline{y = 46}$

29) $y + 28 = 56$ $\underline{y = 28}$ 30) $3 + y = 21$ $\underline{y = 18}$ 31) $29 + y = 54$ $\underline{y = 25}$ 32) $50 + y = 82$ $\underline{y = 32}$

33) $48 + y = 65$ $\underline{y = 17}$ 34) $21 - y = 19$ $\underline{y = 2}$ 35) $46 - y = 9$ $\underline{y = 37}$ 36) $y - 41 = -33$ $\underline{y = 8}$

37) $y - 6 = 35$ $\underline{y = 41}$ 38) $28 - y = -16$ $\underline{y = 44}$ 39) $45 - y = 31$ $\underline{y = 14}$ 40) $32 - y = 20$ $\underline{y = 12}$

41) $29 - y = 1$ $\underline{y = 28}$ 42) $y + 3 = 39$ $\underline{y = 36}$ 43) $y + 44 = 63$ $\underline{y = 19}$ 44) $y + 1 = 8$ $\underline{y = 7}$

45) $y - 28 = -11$ $\underline{y = 17}$ 46) $y - 50 = -31$ $\underline{y = 19}$ 47) $y - 14 = 6$ $\underline{y = 20}$ 48) $38 + y = 73$ $\underline{y = 35}$

49) $2 + y = 31$ $\underline{y = 29}$ 50) $y - 9 = 27$ $\underline{y = 36}$

Made in the USA
Coppell, TX
13 June 2023

18027293R00060